UNE MAIS...

08-AFY-996

Collection dirigée par Michel Simonin

HENRIK IBSEN

Une maison de poupée

Drame en trois actes

INTRODUCTION ET TRADUCTION NOUVELLE
DE MARC AUCHET

LE LIVRE DE POCHE
classique

Marc Auchet est maître de conférences à l'Université de Nancy II, où il est responsable des Études scandinaves. Il est agrégé d'allemand (1969). Outre plusieurs publications sur le XVIIIe siècle allemand, il est l'auteur d'études sur la civilisation et la littérature danoises des XIXe et XXe siècles. Il achève actuellement une thèse d'État sur le dramaturge danois Kaj Munk (1898-1944). Il a réalisé pour la série « Nouvelle Approche » du Livre de Poche un volume de *Contes* d'Andersen (traduction, notices et commentaires) paru en 1987. Il vient de recevoir le prix Kaj Munk (1990) à Copenhague.

Introduction

A part deux interruptions, l'une vers 1860, et l'autre vers 1875, la production d'Ibsen, qui s'étend sur une cinquantaine d'années et comprend vingt-cinq pièces, est d'une étonnante régularité. Après 1877, il publie au rythme presque constant d'un drame tous les deux ans. On distingue généralement dans son œuvre trois périodes de longueurs inégales, qui correspondent chacune à l'un des grands mouvements d'idées du XIXᵉ siècle : l'idéalisme romantique, le réalisme et le symbolisme.

La comédie *L'Union des jeunes* (1869) avait déjà montré l'intérêt d'Ibsen pour les sujets d'actualité, mais c'est seulement huit ans plus tard que commença la série des douze pièces réalistes sur la société contemporaine qui l'ont rendu célèbre dans le monde entier. S'il est vrai que *Les Soutiens de la société* (1877) a marqué ce tournant, c'est surtout *Une maison de poupée* qui fit date, deux ans plus tard. L'orientation nouvelle que prit Ibsen à cette époque fit de lui l'un des écrivains d'avant-garde des pays scandinaves, aux côtés de son compatriote Bjørnson, dramaturge lui aussi. C'est la période où la Scandinavie s'ouvre aux idées nouvelles (positivisme, darwinisme...) par l'intermédiaire du Danois Georg Brandes, initiateur de la fameuse « percée moderne ». En réalité, dès 1867, Ibsen avait l'intention de s'essayer comme « photographe » de son époque. L'influence de Brandes a donc rencontré chez lui un terrain tout préparé.

Pour lui, comme pour la majeure partie des écrivains scandinaves de l'époque, l'auteur des *Principaux courants de la littérature du XIXᵉ siècle* a joué le rôle d'un catalyseur. Peu après la parution de cet ouvrage qui rassemblait des conférences données à l'Université de Copenhague à l'automne 1871, Ibsen écrivait au pionnier du modernisme en Europe du Nord : « C'est l'un des livres qui créent un abîme entre hier et aujourd'hui. » Dès les premières pages de son livre, Brandes protestait contre l'excès d'« infantilisme » et de « naïveté » qui caractérisait, selon lui, les peuples du Nord, et il signalait que la littérature scandinave avait un retard de quarante ans par rapport au reste de la littérature européenne. Il prenait directement à partie l'un de ses plus éminents représentants, l'auteur de *Brand* (Ibsen lui-même), en l'invitant à devenir résolument moderne, et à se faire le défenseur d'une littérature vivante, c'est-à-dire une littérature qui devait « soumettre les problèmes à la discussion ». Cette mise en demeure apportait une réponse aux graves questions que se posait Ibsen sur sa vocation personnelle. La *Lettre en vers* adressée à Brandes en 1875 montre qu'il est désormais au clair : « Je préfère poser des questions ; ma vocation n'est pas de répondre. » Dans tout le reste de son œuvre, Ibsen ne changera plus d'orientation. Il travaillera dans le sens de ce qu'il estime être favorable à l'affranchissement de l'esprit humain. Ses pièces porteront la marque de l'indignation, de la révolte contre l'ordre établi, contre ce qui n'était pour lui que préjugés d'un autre âge, et que la société transportait comme un « cadavre » dans la cale de son bateau, selon l'expression imagée qu'il emploie dans cette même *Lettre*.

C'est bien sur une question que se termine *Une maison de poupée*. Les dernières répliques, de même que l'ultime mimique de Helmer, montrent que l'auteur n'a pas voulu

imposer de réponse. A une personne qui lui demandait
un jour si l'on était en droit de penser que Nora
réintégrerait le domicile conjugal, Ibsen répondit qu'il ne
le savait pas lui-même, mais qu'il était bien possible
qu'elle devienne « artiste de cirque ambulant ». L'origi-
nalité de notre pièce réside en bonne partie dans son
caractère délibérément provocant. La discussion très âpre
qu'elle a déclenchée correspondait parfaitement au pro-
gramme proposé par Brandes.

Le « *féminisme* » d'Ibsen

Au moment de la publication de la pièce, le public vit
surtout dans *Une maison de poupée* une véhémente prise
de position en faveur du féminisme. On trahit pourtant
l'intention de l'auteur si l'on veut en faire une simple
pièce à thèse. C'est bien ce que montre une conversation
sur le divorce, qui devait avoir lieu entre Nora et
Madame Linde, mais qui n'a pas été conservée dans le
texte final. Lorsque cette dernière demande à la femme
de Helmer si elle a commencé à s'intéresser au féminisme, celle-ci répond catégoriquement par la négative.
Les deux femmes en viennent rapidement l'une et l'autre
à la même conclusion : ce combat n'est pas le leur.
Quant à elles, elles ont assez à faire de lutter pour elles-
mêmes. Le maître mot est prononcé, c'est l'individualisme. On reconnaît là l'un des thèmes obsédants de
toute la production d'Ibsen.

Ajoutons le témoignage de l'auteur lui-même, lors
d'une réunion organisée à l'occasion de son soixante-
dixième anniversaire par l'association féministe de Norvège. Après avoir fait remarquer qu'il n'était pas membre

de cette organisation, il refusait l'honneur qu'on voulait lui faire d'avoir œuvré sciemment en faveur du féminisme, et il poursuivait : « Je ne saurais même pas dire exactement ce qu'est le féminisme. J'y ai vu pour ma part une cause qui concerne l'être humain en général. (...) Ma mission a été de peindre des caractères. (...) J'ai toujours considéré que ma mission était d'élever le pays et d'amener le peuple à un niveau plus élevé. Deux facteurs sont à cet égard déterminants : c'est aux mères que revient la tâche de faire naître un sentiment conscient de culture et de discipline, par un travail acharné et lent. (...) Ce sont les femmes qui doivent résoudre la question de l'existence humaine. C'est en tant que mères qu'elles doivent le faire. » On voit bien ici que l'accent porte sur une problématique plus large que celle du féminisme. Il s'agit encore une fois de l'individualisme, du combat d'une personnalité qui cherche à s'affirmer librement. Le destin de Nora Helmer doit donc être considéré comme un cas particulier qui se rattache à ce thème général.

L'intérêt qu'Ibsen affiche ici pour les femmes repose sur un fondement psychologique, mais il s'explique aussi par le fait que les tenants du modernisme avaient fait du féminisme un de leurs chevaux de bataille. Rappelons que G. Brandes avait traduit dès 1869 le manifeste de Stuart Mill, *On the Subjection of Women*. La plupart des écrivains de renom que comptait la Norvège à cette époque défendirent la cause de la femme : B. Bjørnson, autant que J. Lie ou A. Kielland. Plusieurs femmes écrivains, comme la Norvégienne Aasta Hansteen, ou la Suédoise Frederika Bremer, s'étaient constituées défenseurs de la cause féministe. L'une d'entre elles, Camilla Collett, sœur du poète norvégien Wergeland, et auteur des *Filles du préfet* (1855) et du *Camp des muettes* (1877), connaissait personnellement le couple Ibsen.

Nombreuses sont les pièces d'Ibsen qui ont une femme

comme personnage central, depuis *Dame Inger d'Østraat*,
jusqu'à *La Dame de la mer* ou *Hedda Gabler*. Si l'homme
y est généralement jugé sévèrement, l'idée qu'elles donnent de la femme est souvent positive. La fin des *Soutiens
de la société* est à cet égard révélatrice, puisque le Consul
Bernick y exprime son admiration pour les femmes en
les désignant précisément comme les « soutiens de la
société ». Lona Hessel, personnage féminin qui défend
pourtant la cause des femmes, n'est toutefois pas du
même avis, et c'est à elle que revient le dernier mot —
qui est en même temps une des principales clefs pour
comprendre l'œuvre d'Ibsen : pour elle, le seul fondement
dont la société a besoin, c'est « l'esprit de vérité et de
liberté ».

Le thème de la femme-poupée était déjà apparu
expressément, mais accessoirement, dans *L'Union des
jeunes*, en 1869, et G. Brandes avait jugé à l'époque que
le personnage de Selma Bratsberg méritait de fournir à
lui seul la matière d'une pièce. Dix ans plus tard, c'était
chose faite.

Il y a lieu de remarquer que *Une maison de poupée*
s'en prend non pas à l'institution du mariage en tant que
telle, mais à la forme que celle-ci a prise au sein de la
société de l'époque. Quand Nora s'en va, elle laisse
planer un doute. Il se pourrait qu'elle revienne vivre
avec son mari, mais il faudrait, pour cela, que se produise
« le prodige des prodiges », de sorte que leur « vie en
commun puisse devenir un mariage ». Selon la conception que Nora vient d'acquérir, le mariage implique par
exemple que les époux prennent « le temps de chercher
sérieusement ensemble à approfondir une question ». Le
titre de notre pièce montre bien quel est son thème
central : Ibsen y exprime son indignation contre l'idée de
la femme-poupée, la femme-objet. La scène où l'on voit
les deux époux se rendre leur alliance est le signe d'une

rupture. Nora prend même le soin de signifier à son mari qu'il doit se sentir entièrement libre de se lier à une autre femme, mais ce n'est pas une apologie de l'amour libre.

On ne doit pas non plus oublier que si le spectateur assiste à une séparation au cours de la pièce, il voit aussi un couple se former. Madame Linde est une de ces femmes qu'on rencontre souvent dans le théâtre d'Ibsen, qui ne vivent que d'abnégation et d'héroïsme. C'est pour venir chercher « une personne et une cause » auxquelles elle pourra se dévouer corps et âme qu'elle a quitté sa région d'origine, une fois sa mission terminée auprès des siens, et qu'elle est venue s'installer dans la ville où habite son amie. Pour elle, la vie n'a de sens que si elle peut se sacrifier pour quelqu'un. L'idée que Nora se fait du mariage à l'origine est d'ailleurs très proche de cette conception. Nora est fière de s'être imposé de durs sacrifices pour sauver la vie de son mari. Elle pense que celui-ci est prêt à lui rendre la pareille, mais elle veut à tout prix éviter qu'il puisse avoir l'occasion de le faire, car elle craint le bouleversement qui pourrait en résulter. Ce bel idéal s'évanouit lorsqu'elle constate qu'elle s'est fait de douces illusions. Son mari n'est pas le héros potentiel sur lequel elle croyait pouvoir compter.

La haute opinion qu'Ibsen avait de la femme en général, disons même le culte qu'il lui vouait, s'explique en bonne partie par la personnalité réellement exception- nelle de sa propre épouse, Suzannah. Il est absolument hors de doute qu'il lui devait beaucoup. Fermement convaincue du talent et de la vocation littéraire de son mari, elle l'a constamment soutenu dans son travail, dès le début de leur mariage, en particulier au début des années soixante, à une époque où Ibsen était fortement déprimé, aigri par l'insuccès, et accablé de dettes. On rapporte même qu'il lui arrivait alors de lui mettre littéralement la plume dans la main pour l'obliger à travailler. On a des raisons de penser que sans sa vigilance, son soutien moral et ses qualités intellectuelles — ses nombreuses lectures lui permettaient de servir en quelque sorte de conseiller littéraire à son mari — Ibsen n'aurait sans doute pas pu maintenir le rythme de travail si régulier que nous signalions au début de cette Introduction. Le dramaturge a donné d'elle ce bref portrait : « Illogique, mais pourvue d'un instinct poétique prononcé, d'une pensée noble et d'une haine presque farouche contre toutes les considérations mesquines. » Cette aversion pour la mesquinerie n'est sans doute pas le seul trait qu'Ibsen a emprunté à son caractère pour créer le personnage de Nora.

Les personnages

Il est évident qu'Ibsen n'a pas voulu donner de **Helmer** une idée trop négative. C'est un bon époux, un bon père. Mais il est le type même de l'homme esclave de l'ordre établi, des conventions. Pour lui, seuls le travail, la carrière, la position sociale comptent. Son attachement à l'argent est un des thèmes principaux de la pièce. Il est scrupuleux et honnête, mais il a une conception de la vie typiquement masculine. Les *Notes* que nous citons plus loin montrent bien que l'opposition entre la morale masculine, froide, calculatrice, intéressée, et la morale féminine, généreuse, subjective et spontanée, a occupé la pensée de l'auteur dès le début de son travail sur cette pièce. Helmer est incapable d'avoir des opinions différentes de celles de son entourage. Son attachement à Nora est sincère, mais la dernière scène dévoile le monstrueux égoïsme qu'il dissimule. L'attrait érotique qu'elle exerce sur lui est légitime, bien sûr, mais l'auteur présente son empressement sous un jour un peu ridicule lorsque le couple revient du bal masqué.

Nora semble d'abord parfaitement intégrée dans la société où elle vit. Elle donne l'impression d'être réellement heureuse. La première réplique de la pièce révèle néanmoins un de ses défauts majeurs : elle ignore tout des questions d'argent. En effet, elle laisse repartir le commissionnaire en lui donnant un pourboire égal au prix de la course. Cette inaptitude à manipuler l'argent est la source de perpétuelles discussions avec son mari. Son inexpérience totale en la matière l'a amenée à falsifier le document qui provoque le dénouement tragique. La morale à laquelle elle se réfère est de l'ordre du cœur. C'est la raison pour laquelle elle se sent pour finir étrangère à la société où elle a vécu jusque-là. De nombreux commentateurs ont trouvé que sa psychologie manquait d'unité, et que sa brusque décision dans la dernière scène était peu vraisemblable. Comment la petite « alouette » des deux premiers actes peut-elle subitement se métamorphoser en la femme mûre et volontaire qui part en claquant la porte de l'immeuble ? On peut répondre à cette objection en faisant remarquer qu'elle reconnaît que sa vie a consisté à « minauder » devant son mari et devant son père. Elle a en quelque sorte joué le rôle qu'on lui assignait, mais elle n'en pensait peut-être pas moins dans son for intérieur, et il ne manquait plus qu'un événement extraordinaire pour l'amener à changer d'attitude. On imagine que les longues soirées de travail qu'elle s'est héroïquement imposées pendant longtemps lui ont permis de réfléchir et ont mûri son caractère. Elle dit d'ailleurs elle-même qu'elle a eu à l'époque le sentiment d'être presque un homme. D'autre part, elle révèle dans la scène finale que le bel idéal auquel elle avait voulu croire jusque-là vient de s'évanouir. Le spectateur assiste donc à un moment privilégié : il voit le revirement s'opérer sous ses yeux. L'intrigue s'est lentement nouée, et sous l'effet du choc psychologique que lui cause sa déception, Nora jette son « costume de mascarade ». Elle cesse de jouer la comédie, elle devient elle-même, ou plus exactement : elle peut partir à la découverte d'elle-même, en commençant par faire table rase de toutes les idées reçues.

Madame Linde représente le type de la femme dévouée, prête à tous les sacrifices. Elle a été, elle aussi, victime des préjugés de la société bourgeoise ; elle a préféré assurer sa subsistance en se mariant à un parti qui lui semblait avantageux. Mais elle a été cruellement déçue, et ne désire pas retomber dans le même piège. En proposant le mariage à Krogstad, elle veut suivre la voie du cœur.

Krogstad, autre personnage masculin, est lui aussi prisonnier des conceptions matérialistes de la société dans laquelle il vit. Il raisonne en termes d'argent, d'ambition, d'ascension sociale, de réhabilitation. Le contraste saisissant qu'il crée et l'inquiétude qu'il fait naître dans l'esprit du spectateur lorsqu'il apparaît par deux fois au premier acte dans un cadre apparemment insouciant et innocent ne sont pas sans rappeler le mélodrame.

Le cinquième et dernier personnage important de notre pièce est **le docteur Rank**. Il occupe une grande place dans la vie du couple Helmer. L'amour platonique qu'il éprouve pour Nora n'a pas pu échapper à cette dernière, qui apprécie sa bonhomie et sa présence rassurante. Malade incurable, il s'inquiète pourtant de l'état de santé de la société, et préconise qu'on se montre sans pitié envers les individus qui contreviennent au code moral. Par son moyen, l'auteur introduit un thème particulier : celui du poids de l'hérédité. Il doit sa maladie aux excès de jeunesse de son père. Signalons que Nora a, elle aussi, hérité d'une tare familiale. L'idée d'une sorte de fatalité qui pèse sur une famille se retrouve dans d'autres pièces d'Ibsen. On sait que la question de l'hérédité dominera *Les Revenants*. Elle a un rapport avec la théorie de l'évolution telle qu'on la concevait à l'époque. Initialement, Ibsen avait prévu que le docteur Rank fasse un petit exposé sur diverses manières de préserver la qualité de la race. Il y a plusieurs médecins dans les pièces d'Ibsen, mais le personnage du docteur Rank est l'un des plus sympathiques.

Dramaturgie

Avec *Une maison de poupée*, Ibsen fait preuve d'une maîtrise technique qu'il n'avait jamais atteinte jusque-là. Cette pièce se caractérise tout d'abord par sa remarquable densité. Elle ne comporte que trois actes, alors qu'il y en avait généralement davantage dans les pièces antérieures. D'autre part, contrairement à ce qui était également le cas précédemment, Ibsen a réduit considérablement le nombre des personnages. Tandis que dans la pièce écrite deux ans auparavant, *Les Soutiens de la société*, la liste en est encore longue, et qu'un assez grand nombre de figurants viennent s'y ajouter, les protagonistes ne sont plus ici que cinq. L'unité de lieu est parfaitement respectée ; et l'action se déroule en l'espace d'un peu moins de trois jours, puisqu'elle commence dans la matinée du 24 décembre et s'achève dans la nuit du 26 au 27.

On a souvent donné à certains détails de *Une maison de poupée* une valeur symbolique, et il y a tout lieu de le faire, puisque la tendance au symbolisme est très nette chez Ibsen, et qu'elle n'a fait que s'accentuer au fil des ans, singulièrement à partir du _Canard sauvage_ (1884), qu'on cite volontiers en exemple. Le soin que l'auteur apportait aux moindres détails laisse effectivement une certaine place à ce genre d'analyse. Il y a au moins deux points — ils ont souvent été relevés — au sujet desquels l'intention de l'auteur paraît claire : le sapin de Noël et la tarentelle.

Ce n'est certainement pas un hasard si les indications scéniques du début du deuxième acte précisent que « l'arbre de Noël se trouve dans un coin », alors qu'il occupait le milieu de la scène à l'acte précédent. On apprend de plus qu'il est « en assez piteux état ». Le réveillon ayant eu lieu la veille, il est tout naturel qu'on l'ait déplacé — les enfants ont sans doute fait la ronde autour du sapin, comme c'est la coutume en Scandinavie — et on ne s'étonne pas non plus qu'il n'ait plus très fière allure, puisqu'on n'a sans doute pas usé de beaucoup de ménagements quand on lui a ôté ses décorations. On imagine sans peine qu'Ibsen ait voulu signaler aussi par là que l'intrigue se noue et que la situation de l'héroïne principale est désormais précaire. Le temps de la fête est passé.

Pour ce qui est de la tarentelle, rappelons que le nom de cette danse italienne est en rapport avec la tarentule, araignée de la région de Tarente, dont la morsure peut entraîner la folie, quand elle ne provoque pas la mort. Une croyance populaire voulait qu'on ait quelque chance de guérir si l'on se livrait à une danse effrénée. Ibsen a pu recueillir cette information pendant son long séjour en Italie. On a tout lieu de voir là encore une intention de la part de l'auteur. Nora a bien été « mordue », en quelque sorte, par le danger qui la menace, et elle envisage le suicide. Et quand son mari lui fait remarquer, à la fin du deuxième acte, qu'elle danse « comme si

c'était une question de vie ou de mort », elle répond :
« C'est bien le cas. » Le rythme endiablé sur lequel elle
exécute la danse indique certainement qu'elle cherche à
se débarrasser du poison de l'angoisse. Elle veut oublier.
C'est bien ce que confirme sa décision d'improviser une
soirée au champagne.

Une fois qu'il a mis en évidence ces deux détails,
l'analyste est évidemment tenté de poursuivre son inves-
tigation, pour examiner si le « mariage » du réalisme et
du symbolisme, si caractéristique du théâtre ibsénien,
n'occupe pas dans cette pièce une place plus importante
qu'on ne tend à le penser après une première lecture. Il
est bon de faire ici preuve d'une certaine prudence. N'a-
t-on pas vu un critique allemand donner jusqu'à sept
contenus symboliques différents aux fameux macarons
de Nora ? Il est certes plus facile de se rallier à l'opinion
d'une commentatrice danoise qui interprète par exemple
comme un signal de la part de l'auteur, et un mauvais
présage, le fait que Nora attise le feu au moment où
Krogstad vient d'entrer dans le bureau de Helmer. Le
symbolisme du feu réapparaît d'ailleurs sous une forme
évidente lors de la dernière visite de Rank au couple
Helmer, lorsque le docteur demande un cigare à Torvald
et remercie Nora de lui avoir « donné du feu ». Cette
technique du langage à double sens — Rank a fait à
Nora l'aveu de sa « flamme » dans une scène importante
du deuxième acte — sera employée de façon systéma-
tique dans *Le Canard sauvage*.

La lecture symbolique d'un commentateur norvégien[1]
mérite d'être signalée ici : elle fait en effet ressortir
l'extrême cohérence et la densité du texte d'Ibsen. Cet
auteur donne au sapin de Noël et à la tarentelle une

1. S. Bretteville-Jensen, *Et Dukkehjem, Noen tolkningsproblemer*, Arbok
for Universitet i Bergen, Humanistisk serie, 1971, n° 3, Bergen, 1973.

signification bien plus profonde que celle qu'on leur
attribue habituellement. Il rattache ces deux détails, de
même que les autres symboles secondaires que sont les
macarons ou le jeu de cache-cache, au motif du mensonge
et de la mascarade dont il fait remarquer la présence
obsédante tout au long de la pièce. Cette grille de lecture
a un autre mérite : elle insiste sur la notion du mensonge
qui ronge la société, et rappelle que c'est là l'un des
thèmes principaux de toute l'œuvre.

Un autre point important, qu'on ne peut éviter de
mentionner lorsqu'il s'agit de dramaturgie, est la fameuse
« technique rétrospective » d'Ibsen, qui amène le spectateur à découvrir progressivement le passé des divers
personnages. Ibsen y avait déjà eu recours dans des
pièces antérieures, *Les Soutiens de la société*, entre autres,
mais c'est bien dans *Une maison de poupée* que cette
méthode a trouvé sa forme définitive. Il continuera à
l'employer dans les pièces qui suivront. Il est bien certain
que Madame Linde joue dans une certaine mesure le
rôle traditionnel de la confidente, mais on s'aperçoit vite
que ce n'est pas son unique fonction. Elle est étroitement
liée à l'intrigue et elle sert aussi en partie de porte-parole
à l'auteur lorsqu'elle révèle sa vision du mariage. La
première scène où elle apparaît n'est pas une scène
d'exposition au sens classique du terme.

L'emploi astucieux d'éléments extérieurs comme les
lettres de Krogstad pour faire progresser l'action n'est
pas sans rappeler les techniques utilisées par la comédie
d'intrigue d'Eugène Scribe, spécialiste de « la pièce bien
faite ». Son théâtre était très apprécié à l'époque en
Norvège, et Ibsen a subi son influence.

Le travail de l'écrivain

C'est dans les *Notes pour la tragédie de l'époque contemporaine*, qui portent la date du 19 octobre 1878, qu'on trouve les premières traces de la genèse de *Une maison de poupée*.

« Il y a deux sortes de lois spirituelles, deux sortes de consciences : une qui est propre à l'homme et une autre, toute différente, qui est propre à la femme. Ils ne se comprennent pas mutuellement ; mais la femme est jugée dans la vie pratique selon la loi de l'homme, comme si elle était un homme, et non une femme.

» A la fin de la pièce, la femme ne sait plus où elle en est, elle ne sait pas ce qui est juste, ni ce qui ne l'est pas ; le sentiment naturel, d'un côté, et la foi en l'autorité, de l'autre, la plongent dans un désarroi total.

» Une femme ne peut pas être elle-même dans la société contemporaine, qui est exclusivement une société masculine, avec des lois écrites par des hommes et des accusateurs et des juges qui jugent la conduite de la femme d'après un point de vue masculin.

» Elle a fait un faux, et c'est sa fierté ; car elle a fait cela par amour pour son mari, pour lui sauver la vie. Mais cet homme qui a une conception très banale de l'honnêteté tient à respecter la loi, et il considère la chose avec des yeux masculins.

» Luttes intérieures. Écrasée et troublée par la foi qu'elle a en l'autorité, elle perd la conviction qu'elle a le droit et la capacité d'éduquer ses enfants. Amertume. Dans la société contemporaine, une mère n'a qu'à s'en aller mourir quelque part, comme certains insectes, une fois qu'elle a fait son devoir pour la reproduction de la race. Amour pour la vie, le foyer, le mari, les enfants et la parenté. De temps à autre, elle chasse ces pensées d'une façon toute féminine. Brusquement, la peur et l'épouvante la reprennent. Elle doit tout porter toute seule. La catastrophe s'approche irrémédiablement, inexorablement. Désespoir, lutte et déchéance. »

Cette première esquisse montre qu'à cette période le travail de préparation est assez avancé. Le thème et le fil de l'intrigue sont déjà fixés. Il fallut néanmoins à l'auteur plusieurs mois de réflexion particulièrement intense — aux dires de sa femme — pour concevoir le personnage de Nora. On aura remarqué que ces *Notes* insistent fortement sur la situation juridique de la femme dans la société. C'est dans cet esprit qu'Ibsen avait proposé au cours de l'hiver 1878-1879 au Club scandinave de Rome — où il séjournait — une réforme de ses statuts pour permettre à une femme d'occuper le poste de bibliothécaire devenu vacant. Il s'était aussi employé à assurer aux femmes le droit de vote aux réunions de la même société. Ce genre de préoccupations retenait l'attention des féministes, et il est certain que cela pouvait fournir la matière d'une pièce à thèse ; mais cela ne suffisait évidemment pas à donner vie à des personnages. Le destin tragique d'une jeune femme que connaissait le couple Ibsen a servi de modèle à l'auteur et l'a aidé à exprimer d'une façon particulièrement vivante la problématique qui occupait son esprit.

En 1869, une jeune fille de vingt ans, Laura Petersen, admiratrice d'Ibsen, avait écrit un roman conçu comme une suite de la pièce *Brand*. L'échange de lettres qui eut lieu à cette occasion fut le prélude à un contact plus étroit. Lorsqu'elle séjourna à Dresde pendant deux mois en 1871, elle fut reçue fréquemment dans le foyer du dramaturge, qui sut apprécier son entrain et sa bonne humeur, et l'appela « l'alouette ». Elle se maria en 1873 à un professeur de lycée danois, Victor Kieler, qui contracta bientôt la tuberculose. Les médecins jugèrent que l'état de santé du malade rendait indispensable un voyage dans le sud de l'Europe. Les revenus du ménage étant limités, et Kieler vivant dans la hantise de connaître des difficultés financières comme celles qui avaient jadis frappé son père, Laura fit alors un emprunt auprès d'une banque. Comme elle craignait les violents accès de colère de son mari, elle lui fit croire que cet argent provenait de ses honoraires d'écrivain. Le climat chaud de l'Europe du Sud permit effectivement à Kieler de se rétablir, et sur le chemin du retour, en 1876, le jeune couple rendit visite aux Ibsen à Munich. Les soucis matériels auxquels la jeune femme était obligée de faire face avaient déjà assombri son humeur, et peu de temps après, la situation s'aggrava encore. Elle dut avoir recours à un deuxième emprunt, que la maladie l'empêcha de rembourser à temps. La personne qui lui avait servi de caution étant également dans la gêne, elle s'adressa à Ibsen, dans l'espoir qu'il recommanderait un de ses manuscrits à un éditeur. Le dramaturge lui conseilla alors en mars 1878 de tout dévoiler à son mari. A bout de nerfs, et en désespoir de cause, elle falsifia un document, sans en retirer d'ailleurs aucun avantage. Elle fut bientôt brièvement internée dans un asile psychiatrique. La garde de ses enfants lui fut enlevée, et son mari obtint le divorce. Deux ans plus tard, il révisa sa position, et elle accepta alors de réintégrer le domicile familial, sans doute principalement par égard pour les enfants.

On n'a pas de mal à reconnaître dans ce drame conjugal certains des éléments essentiels de l'intrigue de *Une maison de poupée.*

La pièce *Les Soutiens de la société* avait été publiée le 11 octobre 1877, et dix mois plus tard, en août 1878, alors qu'il se trouve encore à Munich, Ibsen fait déjà mention d'une « nouvelle œuvre » en préparation, dans une lettre à son éditeur. Les *Notes* mentionnées plus haut

datent de l'automne de la même année, et elles ont été
écrites à Rome. Il est probable que les premières ébauches
ont été perdues. Il serait en tout cas étonnant que la
rédaction du premier acte n'ait pas commencé avant le
2 mai 1879, date que porte le brouillon qui a été conservé.
C'est le deuxième acte qui a donné lieu au plus grand
nombre de remaniements. Le brouillon du troisième acte
était achevé début août. Le 20 septembre, Ibsen pouvait
signaler à un correspondant qu'il venait d'achever sa
pièce. Elle était publiée le 4 décembre.

Un certain nombre d'indications montrent la rigueur
avec laquelle Ibsen travaillait et l'importance qu'il atta-
chait aux détails. Nous nous bornerons à citer deux
exemples qui nous semblent révélateurs de sa technique
d'écriture. Dans le premier volume de ses *Mémoires*
(1906), John Paulsen rapporte que le dramaturge avait
été mécontent d'une représentation de sa pièce en voyant
la couleur du tapis. En réalité, les instructions scéniques
du premier acte ne donnent aucune précision de ce genre,
mais Ibsen trouvait que la couleur choisie par le metteur
en scène ne créait pas l'ambiance qu'il avait souhaitée.
Il avait même critiqué les mains de l'actrice qui tenait le
rôle de Nora. Si l'on se reporte à l'une des ébauches
restées à l'état de manuscrit, on constate qu'Ibsen pré-
voyait d'attribuer un rôle symbolique au tapis du salon
des Helmer. En effet, au moment où le docteur (il
s'appelle encore Hank à ce stade du travail de rédaction)
quitte Stenborg (c'est le nom que porte alors Helmer)
pour le laisser seul avec Krogstad, au premier acte, il
remarque que le jeune couple a fait l'acquisition d'un
nouveau tapis, et il en félicite la maîtresse de maison. Il
considère que c'est là un investissement tout à fait
rentable, puisqu'il permet de créer un cadre plus confortable, qui ne peut que contribuer à donner aux enfants
des sentiments nobles et des idées élevées. C'est aussi

dans cette scène que le docteur se livrait à d'autres considérations du même type — nous y avons fait allusion plus haut — sur les moyens de préserver la race de la dégénérescence qui la menace. Finalement, Ibsen a préféré supprimer ces répliques qui auraient fait l'effet d'une digression et auraient détourné l'attention du thème central. Les problèmes concernant l'hérédité sont évoqués de façon beaucoup plus discrète dans la version finale de *Une maison de poupée*. Cet exemple pourtant anodin montre comment les divers éléments de la pièce constituaient un réseau très dense dans l'esprit de l'auteur.

L'œuvre et son public

Pour sa première édition, notre pièce fut d'abord tirée à 8 000 exemplaires, chiffre important pour l'époque, le 4 décembre 1879, chez l'éditeur danois Gyldendal. Un mois plus tard, une deuxième édition, de 3 000 exemplaires, était nécessaire, puis une troisième, en mars de la même année. Une première traduction allemande voyait le jour dès 1880. Elle fut suivie plus tard par trois autres traductions qui parurent presque coup sur coup, de 1890 à 1892. La première version anglaise de *Une maison de poupée* date de 1880. En 1882 et 1889, deux nouvelles traductions furent publiées, et elles ne tardèrent pas à être rééditées l'une et l'autre. La traduction française établie par Maurice Prozor date de 1889. Elle a été constamment réutilisée depuis. Nous indiquerons simplement pour mémoire qu'avant la fin du siècle, la pièce était traduite aussi en une dizaine d'autres langues (russe, polonais, portugais, espagnol, italien, néerlandais, etc.).

La première scène où l'on joua *Une maison de poupée*
fut celle du Théâtre Royal de Copenhague, dès le
21 décembre 1879. Dans les semaines qui suivirent, les
théâtres de Stockholm, de Christiania et de Bergen
présentaient également la pièce, qui fit rapidement le
tour de la Scandinavie. Dès mars 1880, elle fut jouée à
Munich en présence de l'auteur, et, la même année, dans
plusieurs grandes villes allemandes. Nous ne décrirons
pas en détail le succès qu'elle connut dans le reste de
l'Europe. Contentons-nous de signaler qu'après une première représentation privée en 1892, elle fut présentée
au public français au Théâtre du Vaudeville le 20 avril
1894. Mme Réjane, qui tenait le rôle de Nora, eut
l'honneur de recevoir à cette occasion un télégramme de
l'auteur qui la remerciait d'avoir « transformé son plus
beau rêve en réalité ». Elle avait « créé Nora à Paris ».
La pièce poursuivit son voyage triomphal à travers le
monde. Elle fut jouée pour la première fois en Australie
et en Amérique en 1889-1890, au Caire en 1892.

Elle n'a pas quitté l'affiche depuis, aussi bien en
Scandinavie qu'à l'étranger, et pour la plupart des ama-
teurs de théâtre, Ibsen est avant tout l'auteur de *Une
maison de poupée*. Comme preuve évidente de la vitalité
du texte de cette pièce, signalons qu'en l'espace de
quelques années, de 1969 à 1973, il a donné lieu à pas
moins de cinq versions filmées : une norvégienne, une
danoise (texte adapté par Leif Panduro), une suédoise,
une britannique, et une allemande, par Rainer Werner
Fassbinder.

Il est certain que si cette pièce est encore si souvent
jouée à l'heure actuelle, ce n'est plus tellement en raison
de son contenu idéologique. Si c'est bien en tant que
contribution à la révolution sociale de leur pays qu'elle
a été utilisée par les artisans de la révolution chinoise,
c'est surtout sa remarquable qualité scénique que l'on

apprécie maintenant dans les pays occidentaux. Sa dimension sociologique est néanmoins toujours susceptible d'alimenter le débat politique, comme l'a montré la comédie de l'écrivain danois Ernst Bruun Olsen, *Où Nora est-elle allée lorsqu'elle est partie?* (1968). D'après cette pièce, c'est au sein du mouvement ouvrier que Nora aurait trouvé refuge.

Si *Une maison de poupée* a connu un succès immédiat, elle a aussi provoqué une discussion véhémente. On s'en fera une idée approximative lorsque nous aurons précisé que, devant la réticence d'une partie du public, son auteur se vit presque contraint d'écrire une fin différente à l'usage de la scène allemande. L'excellente actrice qui devait tenir le rôle de Nora, Hedwig Niemann-Raabe, refusait de jouer une pièce où l'on voyait une mère abandonner froidement ses enfants. A contrecœur, mais aussi pour éviter que d'autres plumes moins expertes que la sienne ne le fissent à sa place — à l'époque, aucune convention ne protégeait les œuvres littéraires scandinaves en Allemagne ; celle de Berne date de 1886, et la Norvège n'y a d'ailleurs adhéré que dix ans plus tard — Ibsen ajouta la scène suivante, qui, de son propre aveu, trahissait outrageusement son intention initiale.

HELMER. Eh bien pars! *(La prenant par le bras.)* Mais il faut d'abord que tu voies tes enfants pour la dernière fois!

NORA. Lâche-moi! Je ne veux pas les voir! J'en suis incapable!

HELMER, *en l'entraînant vers la porte de gauche.* Il faut que tu les voies! *(Ouvre la porte et dit à voix basse:)* Tu vois, ils dorment là-bas d'un sommeil tranquille et paisible. Demain, quand ils se réveilleront et qu'ils appelleront leur mère, ce seront des enfants... sans mère.

NORA, *en tremblant.* Sans mère ! *(Lutte intérieure, puis elle laisse tomber son sac de voyage et dit :)* Oh ! je préfère commettre un péché contre moi-même, mais je ne peux pas les abandonner.

Elle s'effondre à moitié devant la porte.

HELMER, *l'air joyeux, mais à voix basse :* Nora !

Dans les années qui suivirent la publication de la pièce, plusieurs auteurs, norvégiens et étrangers, essayèrent sous diverses formes d'imaginer un dénouement heureux. C'est pourtant la version originale de la pièce qui l'emporta rapidement. Tout cela montre bien sur quel point la critique portait essentiellement. Le problème psychologique que pose le brusque changement d'attitude de Nora, au troisième acte, n'échappa pas aux commentateurs contemporains, mais c'est surtout sa révolte brutale — que symbolisait le fracas de la porte qu'elle claque en quittant le domicile conjugal — qu'ils eurent du mal à admettre. Dans son livre sur *Ibsen et la question du mariage* (1882), un critique suédois décrit l'âpreté avec laquelle la pièce fut discutée dans les foyers cultivés de toute la Scandinavie. Et dans la préface de sa traduction en français (1889), M. Prozor affirme même avoir vu circuler à Stockholm des cartes d'invitation qui portaient la mention : « On est prié de ne pas s'entretenir de *Maison de poupée.* »

Il ne saurait être question ici de rendre compte, même sommairement, des innombrables jugements et articles critiques qui accompagnèrent la parution de la pièce. La violente attaque de Strindberg, dans la préface d'un recueil de nouvelles publié en 1884, *Mariés,* mérite néanmoins d'être signalée. Pourtant favorable à certaines conceptions avancées pour l'époque, comme le droit de vote pour les femmes, l'auteur suédois considère que l'émancipation prônée par son collègue norvégien est proprement contre nature. Il défend farouchement l'idée qu'on s'était faite jusque-là de la fonction de la femme : mettre des enfants au monde et les éduquer. Il s'insurge contre la conclusion de la pièce, et donne raison à Helmer en jugeant que la femme de celui-ci « aspire à vivre en liberté, une liberté à la Ibsen, personnelle, égoïste, à la recherche du plaisir... la liberté de ruminer ses pensées... une liberté qui la dispense de nourrir ses enfants et d'être une mère pour eux, en un mot, la liberté par rapport aux lois de la nature ». Pour lui, « Nora est un produit de la jolie conception de la vie qu'on appelle idéalisme et qui a voulu faire croire aux êtres humains qu'ils étaient des dieux et que la terre était un ciel en miniature ». Les désordres psychologiques profonds qui caractérisaient l'auteur de *Inferno*, sa misogynie notoire et les échecs cuisants que furent ses trois mariages, obligent à classer son jugement dans une catégorie à part, mais sur le point précis que notre citation aborde, on peut dire qu'il était en accord avec un avis communément répandu.

Nous n'avons pas à prononcer ici de jugement moral sur le contenu de la pièce qui nous occupe, mais nous citerons à titre de curiosité la violente autocritique que l'un des dramaturges danois les plus en vue de l'entre-deux-guerres, Kaj Munk, esprit foncièrement conservateur, mettait dans la bouche d'Ibsen en 1936, à la suite d'une représentation de *Une maison de poupée*, à peu près cinquante ans après la première publication de ce drame : « J'ai appris à la femme à oublier qu'elle était femme... Concubinage, divorces avec des disputes au sujet des enfants, avortements artificiels, foyers sans enfants — pouah ! je trouvais à l'époque que nous avions un cadavre dans la cale de notre bateau, mais quand je considère maintenant le monde civilisé, je trouve que sa cale est bourrée de cadavres. » Un nouveau demi-siècle s'est écoulé depuis. On est en droit de se demander ce que penserait Ibsen aujourd'hui du résultat de l'évolution qu'il a contribué à encourager ?

Chronologie (1828-1906)

1828. 20 mars, naissance de Henrik Ibsen à Skien, petite ville de la côte sud-est de la Norvège. Son père est un homme d'affaires entreprenant qui a d'abord réussi brillamment, mais les spéculations hasardeuses auxquelles il se livre lui font perdre toute sa fortune.

1835. Couverte de dettes, la famille doit aller s'installer à la campagne. La disgrâce sociale qui frappe les Ibsen à cette époque a certainement laissé des traces profondes dans l'esprit du jeune Henrik. Il souffre aussi de vivre dans un foyer désuni. Il est timide, inhibé, recherche la solitude, et se réfugie volontiers dans la rêverie.

1844. Henrik Ibsen se rend à Grimstad, ville située un peu plus au sud, où il a obtenu une place d'apprenti dans une pharmacie. Il adopte une attitude très critique à l'égard du milieu où il évolue. Il prend des leçons particulières pour préparer le baccalauréat.

1850. Ibsen publie sous un pseudonyme le drame historique *Catilina*. En avril de cette même année, il est venu s'établir à Christiania (la capitale norvégienne ne reprendra son ancien nom, Oslo, qu'en

1925). Il passe son examen avec succès, mais décide au cours de l'été de ne pas commencer les études de médecine qu'il avait envisagées. *Le Tertre du guerrier*, pièce en un acte, témoigne de l'attrait que les idées romantiques exercent sur lui. Il s'intéresse aux débuts du mouvement ouvrier, et écrit des articles sur des sujets d'actualité dans un hebdomadaire satirique.

1851-1857. Au cours de l'automne 1851, il est nommé conseiller artistique au Théâtre norvégien de Bergen. Il s'engage aussi à fournir une pièce par an. Les six années qu'il passera dans cette ville seront très importantes pour sa formation de dramaturge. Au cours de l'été 1852, il a l'occasion d'assister à de nombreuses représentations de qualité à Copenhague et à Dresde. Les toutes premières pièces qu'il écrit pour honorer son contrat sont très mal reçues. *Dame Inger d'Østraat* rencontre un meilleur accueil, mais c'est en 1856, avec *Le Festin de Solhaug*, qu'Ibsen connaît son premier succès. Il écrit aussi *Les Guerriers de Helgeland*. Ces pièces traitent de sujets historiques puisés dans le passé national, dans l'esprit du mouvement romantique, mais elles montrent que leur auteur est déjà attentif aux problèmes psychologiques.

1857-1864. Ibsen revient à Christiania, où il a été nommé directeur artistique du Théâtre norvégien de la Møllergate créé en 1852 pour lutter contre l'influence culturelle danoise. Malgré ses efforts, ce théâtre connaît de graves difficultés financières. Il est finalement obligé de fermer en 1862. Ces années passées dans la capitale sont très dures pour le dramaturge, qui s'est marié en 1858 avec Suzannah Thoresen. En 1861, il connaît une période particulièrement sombre. Sa situation financière est catastrophique. Les obligations familiales lui pèsent. Il a le sentiment de négliger sa vocation d'écrivain. Énergiquement soutenu par la présence de sa femme, il arrive néanmoins à sortir de cette période de crise. Le poème épique *Terje Vigen* (1861), qui décrit la victoire qu'un marin aigri par les revers de fortune remporte sur lui-même à force de volonté, est sans doute une expression littéraire des luttes qu'Ibsen a connues à cette époque difficile.

1862. La pièce satirique *La Comédie de l'amour* témoigne de l'acuité des conflits intérieurs qui déchirent Ibsen. L'opposition entre la vocation artistique et la vie quotidienne s'y exprime de façon particulièrement brutale, mais on y trouve aussi une vision très critique du mariage traditionnel. Cette première œuvre importante écrite par Ibsen sur un sujet contemporain est mal reçue par la critique. Il en conçoit une profonde amertume, et est tourmenté par des doutes quant à ses dons et son avenir en tant que dramaturge.

1863. Au cours de l'été, Ibsen fait un voyage à Bergen, et l'accueil favorable qu'on lui réserve lui apporte quelque encouragement. Il écrit une nouvelle pièce à sujet historique, *Les Prétendants à la Couronne*, qui traite principalement du problème de la vocation. Malgré le succès remporté par cette pièce, Ibsen décide de demander une bourse pour faire un voyage à l'étranger.

1864. La bourse d'État qu'il obtient lui permet de se rendre à Rome. L'immobilisme total de la Norvège à l'occasion de la Guerre des Duchés (1863-1864), à une période où les idées scandinavistes connaissent une vogue particulière, lui a apporté une profonde déception d'ordre politique. Il attendra vingt-sept ans avant de revenir s'établir dans son pays natal.

1866. Publié au printemps, le poème dramatique *Brand* reflète l'état d'esprit critique d'Ibsen à l'égard de ses compatriotes, mais il renferme un message d'une portée plus générale : en exigeant « tout ou rien », le personnage principal s'y fait le représentant d'un individualisme et d'un idéalisme qui rappellent l'intransigeance de la pensée de Kierkegaard. Accueilli avec enthousiasme, *Brand* marque un tournant dans la carrière de son auteur. La même année, le Parlement norvégien lui attribue une pension d'écrivain.

1867. La pièce *Peer Gynt*, un nouveau poème dramatique, est une sorte de correctif de *Brand*. Le personnage central est un rêveur et un menteur ; il représente certains des défauts qu'Ibsen reproche à ses compatriotes, mais il se rattache aussi par certains aspects à la personnalité de l'auteur et jouit d'une certaine sympathie de sa part. L'humour et la fantaisie dont *Peer Gynt* porte l'empreinte témoignent d'un nouvel état d'âme. Ibsen est maintenant un écrivain reconnu, tout semble lui réussir. Les rééditions de ses œuvres se succèdent. Sa toilette, son aspect extérieur, et même son écriture se modifient.

1869. C'est à Dresde qu'Ibsen écrit sa pièce suivante, *L'Union des jeunes*, après avoir quitté l'Italie en 1868. Cette comédie en prose a un rapport direct avec la société de l'époque et laisse présager l'évolution future du dramaturge. Elle montre les dessous peu reluisants de la vie politique.

1871. Ibsen publie un recueil de *Poèmes* dans lesquels il développe des idées subversives pour l'époque.

1873. Ibsen achève une œuvre à portée philosophique

sur Julien l'Apostat, commencée neuf ans auparavant, *Empereur et Galiléen*, composée de deux tragédies en cinq actes chacune. Dans cet ensemble imposant, l'auteur laisse entrevoir l'avènement possible d'un « troisième empire », qui serait une synthèse entre le culte humaniste de la beauté, qui caractérise l'Antiquité grecque, et le renoncement, propre à la pensée chrétienne.

1877. La pièce *Les Soutiens de la société* inaugure une série de drames réalistes sur la société contemporaine. Ibsen se situe ainsi dans le sillage de son compatriote Bjørnson qui a publié deux pièces de ce type peu de temps auparavant : *Le Rédacteur* (1874) et *Une faillite* (1875). L'hypocrisie de la société constitue le thème principal de la nouvelle pièce d'Ibsen qui connaît un grand succès à Berlin dès 1878. En 1875, Ibsen a quitté Dresde pour Munich. Sa renommée internationale commence à s'établir.

1879. Avec *Une maison de poupée*, Ibsen prend position sur la place de la femme dans la société.

1880. Ibsen est de nouveau en Italie, où il restera jusqu'en 1885.

1881. Si la pièce précédente a déjà suscité de très vives réactions de la part de la critique, aussi bien en Norvège qu'à l'étranger, *Les Revenants* provoque une véritable levée de boucliers dans toute l'Europe, du fait de la lutte ouverte de son auteur contre la morale traditionnelle.

1882. Exaspéré par l'opposition qu'il vient de rencontrer, Ibsen écrit *Un ennemi du peuple*, pièce dans laquelle il exprime son souverain mépris pour l'opinion publique.

1884. Après la série de pièces réalistes où il a fustigé les travers de la société, Ibsen se tourne davantage vers les problèmes individuels, l'étude psychologique. Dans cette partie de sa production littéraire, les symboles occupent une place plus importante qu'auparavant. C'est le cas en particulier de la pièce *Le Canard sauvage*, qui reprend le thème du mensonge sur lequel les êtres médiocres bâtissent leur vie.

1885. Ibsen est revenu à Munich, où il habitera jusqu'en 1891.

1886. *Rosmersholm*, pièce très dense, montre les luttes intérieures que doit affronter celui qui vit pour un idéal élevé. Les obstacles psychologiques sont tels que ses efforts sont voués à l'échec.

1888. *La Dame de la mer*, drame fortement imprégné de symbolisme, montre l'importance des éléments refoulés dans le subconscient.

1890. *Hedda Gabler*, l'une des pièces d'Ibsen les plus jouées, est une remarquable étude psychologique d'un personnage féminin à la recherche d'une raison d'être.

1891. Ibsen revient s'établir définitivement en Norvège. (Deux voyages, l'un en 1874, l'autre en 1885, l'y avaient ramené brièvement.) Son nom est maintenant célèbre dans toute l'Europe, et jusqu'en Amérique et en Australie.

1892. Dans ses dernières pièces, Ibsen se livre à une nouvelle réflexion sur les rapports entre l'art et la vie. La pièce *Solness le constructeur* se termine tragiquement par la mort du personnage principal, victime de sa «conscience maladive», incapable de refaire les exploits de sa jeunesse, dépassé par le génie des nouvelles générations.

1894. C'est encore la vie d'un couple qui constitue le cadre du drame *Le Petit Eyolf*. On y retrouve les thèmes ibséniens que sont le sentiment de culpabilité, le sens des responsabilités, l'opposition entre l'idéal et la réalité.

1896. *John Gabriel Borkman* montre un homme qui a sacrifié la vie et l'amour sur l'autel de la vocation.

1899. *Quand nous nous réveillerons d'entre les morts*, pièce à forte teneur symbolique, traite une nouvelle fois le thème de l'opposition entre l'art et la vie, de l'homme qui est passé à côté de l'existence parce qu'il a voulu accomplir sa mission à tout prix.

1906. Ibsen meurt au mois de mai.

Bibliographie

La littérature concernant Ibsen est d'une telle étendue et d'une telle richesse qu'il ne saurait être question d'en faire la présentation ici. Nous nous limiterons à quelques titres particulièrement importants parus en langue française, et nous ajouterons quelques-unes des publications les plus récentes.

Traductions

Nous citerons celles qui ont été le plus utilisées jusqu'ici :

La première traduction de *Maison de poupée*, celle de M. Prozor, date de 1889. Elle a été constamment rééditée depuis, avec *Les Revenants*. Cette édition était accompagnée à l'origine d'une préface de E. Rod, et de deux notices du traducteur. On doit donner raison au préfacier lorsqu'il juge que le comte Prozor a fait un travail « consciencieux et fidèle », mais qu'il a peut-être parfois

« par amour de l'exactitude, sacrifié le brillant de l'expression » (Le Livre de Poche, série *Classiques*).

La version française de *Une maison de poupée* que présente le tome XI (Plon, 1939) des *Œuvres complètes* de Henrik Ibsen (en 16 volumes, 1930-1945), traduites par P. G. La Chesnais, n'a pas les qualités littéraires requises pour pouvoir être utilisée à la scène. Elle respecte d'une façon beaucoup trop servile le texte original. Il en va différemment de l'abondant appareil critique qui accompagne le texte des diverses pièces : les lecteurs curieux et les chercheurs y trouveront une multitude de renseignements utiles et fiables.

Ouvrages

LUGNÉ-POE, A.M., *Ibsen*, Paris, 1937.

    Henrik Ibsen. L'homme et l'œuvre, Catalogue d'exposition. Bibliothèque Nationale, 1956.

GRAVIER, M., *Le Féminisme et l'Amour dans la littérature norvégienne*, Paris, 1968.

GRAVIER, M., *Ibsen*, « Théâtre de tous les temps », vol. 28, Seghers, 1973.

LINGE, T., *Conception de l'amour dans le drame de Dumas fils et d'Ibsen*, Slatkine, 1975.

DIKKA REQUE, A., *Trois auteurs dramatiques scandinaves : Ibsen, Bjornson, Strindberg, devant la critique française (1889-1901)*, Slatkine, 1976, Bibliothèque de la Revue de littérature comparée, 65, fac-similé de l'édition de Paris, 1931.

Publications

On se reportera utilement, pour une première information, à l'article *Ibsen*, rédigé par R. BOYER pour l'*Encyclopaedia Universalis*.

GRAVIER, M., *La Littérature engagée des années 80 en Norvège. Message universel et couleur scandinave*, in « Études françaises », 1974, n° 4, pp. 375-395.

VOGELWEITH, G., *Ibsen en Angleterre et en Allemagne : autoritarisme paternel et impérialisme colonial*, in « Recherches anglaises et américaines », 1975, n° 8, pp. 155-162.

GRAVIER, M., *Ibsen en France*, Ibsenårbok Oslo, 1977, vol. 3, pp. 22-24.

GRAVIER, M., *Études ibséniennes*, in « Études germaniques », 1977, vol. 32, n° 4, pp. 403-406.

FOURNIER, V., SCHEURER, E., *Lettres d'écrivains scandinaves au comte Maurice Prozor*, in « Études germaniques », 1977, vol. 32, n° 4, pp. 413-414.

KEMP, P., *Le Précurseur de Henrik Ibsen. Quelques aspects de la découverte de Kierkegaard en France*, in « Les Études philosophiques », 1979, pp. 139-150.

COMBESCOT, P., *Ibsen, notre Shakespeare ?*, in « Les Nouvelles littéraires », vol. 59, n° 2779, 1981, pp. 42-43.

DELSEMME, P., *La Première Représentation en langue française de « Maison de poupée »*, in « Actes du Colloque AISS-IASPA Sémiologie du spectacle », Degrés, Revue de synthèse à orientation sémiologique, Année 10, n° 32, Bruxelles, 1982.

BORIE, J., *L'Artiste comme médecin : Zola, Ibsen et le problème de la tragédie*, in *Le Statut de la littérature. Mélanges offerts à Paul Bénichou*, M. Fumaroli, Genève, 1982, pp. 335-354. (« Histoire des idées et critique littéraire », vol. 200.)

HAAKONSEN, D., *Henrik Ibsen, dramaturge*, in « Romantisme », 1984, vol. 14, n° 45, pp. 115-123.

Une maison de poupée

Personnages

HELMER, *avocat*

NORA, *son épouse*

LE DOCTEUR RANK

MADAME LINDE

KROGSTAD, *avoué*

LES TROIS JEUNES ENFANTS DES HELMER

ANNE-MARIE, *leur nurse*

LA BONNE *des Helmer*

UN COMMISSIONNAIRE

L'action se déroule dans l'appartement des Helmer.

Acte I

Un salon confortable, meublé avec goût, mais sans luxe. Au fond, à droite, une porte donne dans le vestibule ; une autre porte, au fond, à gauche, mène dans le cabinet de travail de Helmer. Entre ces deux portes, un piano. Au milieu du mur de gauche, une porte, et, plus vers l'avant, une fenêtre. A côté de la fenêtre, une table ronde avec des fauteuils et un petit canapé. Sur le côté droit, un peu en arrière, une porte, et le long du même mur, plus près de l'avant-scène, un poêle en céramique entouré de quelques fauteuils et d'un rocking-chair. Entre le poêle et la porte latérale, une petite table. Des gravures sur les murs. Une étagère avec des bibelots de porcelaine et d'autres petits objets d'art ; un petit rayonnage avec des livres à reliure de luxe. Sur le sol, un tapis ; le feu brûle dans le poêle. Journée d'hiver.

On sonne dans le vestibule ; peu après, on entend quelqu'un ouvrir la porte. Nora entre dans le salon en chantonnant gaiement ; elle est en manteau et porte une quantité de paquets qu'elle dépose sur la table de droite. Elle laisse ouverte la porte du vestibule, où l'on aperçoit un commissionnaire ; il porte un arbre de Noël et une corbeille, qu'il donne à la bonne qui a ouvert la porte.

NORA. Cache bien l'arbre de Noël, Hélène. Il ne faut surtout pas que les enfants le voient avant ce soir, quand il sera décoré. *(En s'adressant au commissionnaire et en sortant son porte-monnaie.)* Je vous dois combien... ?

LE COMMISSIONNAIRE. Une demi-couronne.

NORA. Voilà une couronne. Non, gardez la monnaie.

Le commissionnaire remercie et sort. Nora ferme la porte. Elle continue à rire toute seule gaiement, tout en enlevant son manteau.

NORA, *elle sort de sa poche un sachet de macarons et en mange quelques-uns ; puis s'avance discrètement jusqu'à la porte du cabinet de travail de son mari et prête l'oreille.*
10 Si, il est à la maison.

Elle chantonne de nouveau, en se rendant près de la table de droite.

HELMER, *depuis son cabinet de travail.* Est-ce l'alouette que j'entends chanter là-bas ?

NORA, *elle est en train d'ouvrir quelques paquets.* Oui, c'est bien elle.

HELMER. Est-ce l'écureuil qui fait du bruit ?

NORA. Oui !

HELMER. Quand l'écureuil est-il rentré ?

NORA. A l'instant même. *(Elle met le sachet de macarons dans sa poche et s'essuie la bouche.)* Viens donc, Torvald,
20 viens regarder ce que j'ai acheté.

HELMER. Ne me dérange pas ! *(Un peu plus tard ; il ouvre la porte et jette un coup d'œil, la plume à la main.)* Tu as bien dit acheté ? Tout cela ? Notre petit étourneau est-il sorti et a-t-il encore gaspillé de l'argent ?

NORA. Voyons, Torvald, cette année, nous pouvons tout de même nous permettre quelques petits écarts. C'est le

premier Noël où nous n'avons pas besoin de faire des
économies.

HELMER. Oh! tu sais, nous ne pouvons pas faire de
30 dépenses inconsidérées.

NORA. Si, Torvald, maintenant nous pouvons certainement
faire quelques dépenses inconsidérées. Tu ne crois pas?
Seulement quelques-unes. Tu vas avoir un bon traitement, maintenant, et tu vas gagner beaucoup, beaucoup
d'argent.

HELMER. Oui, à partir du Jour de l'An; mais il faudra
attendre tout un trimestre avant de toucher mon traitement.

NORA. Bah! nous pouvons faire un emprunt en attendant.

HELMER. Nora! *(Il la rejoint et lui tire l'oreille en plaisan-*
41 *tant.)* Va-t-on une fois de plus se laisser aller à la
frivolité? Mettons que j'emprunte mille couronnes
aujourd'hui, que tu les dépenses n'importe comment
pendant la semaine de Noël, et puis qu'au Jour de l'An,
il me tombe une tuile sur la tête, et qu'on me retrouve
sans vie.

NORA, *elle lui pose la main sur le bras.* Quelle horreur! Ne
dis donc pas des choses aussi affreuses.

HELMER. Si, suppose qu'une chose de ce genre m'arrive
50 ... que ferais-tu?

NORA. S'il t'arrivait quelque chose d'aussi horrible, cela ne
changerait rien que j'aie des dettes ou que je n'en aie
pas.

HELMER. Peut-être, mais les gens auprès desquels j'aurais
fait l'emprunt?

NORA. Eux? Qui est-ce qui se soucie de ces gens-là! Ce
sont des étrangers.

HELMER. Nora, Nora, on voit bien que tu es une femme !
Mais soyons sérieux, Nora ; tu sais ce que je pense de
60 ces choses. Pas de dettes ! Jamais d'emprunts ! On perd
de sa liberté, et c'est aussi une chose laide, que de fonder
son foyer sur des emprunts et des dettes. Nous avons
tous les deux fait preuve de persévérance et de courage
jusqu'aujourd'hui ; et nous allons continuer pendant le
peu de temps où ce sera encore nécessaire.

NORA, *elle se dirige vers le poêle.* Bon, bon, comme tu
veux, Torvald.

HELMER, *il la suit.* Allons, allons, il ne faut pas pour cela
que la petite alouette laisse pendre ses ailes. Comment ?
70 L'écureuil est en train de bouder ? *(Il sort son porte-
monnaie.)* Nora, qu'est-ce que j'ai là-dedans, à ton avis ?

NORA, *elle se retourne brusquement.* De l'argent !

HELMER. Tiens. *(Il lui tend quelques billets.)* Mon Dieu, je
sais bien qu'on a besoin de pas mal d'argent dans un
ménage, à l'époque de Noël.

NORA, *elle compte.* Dix - vingt - trente - quarante. Oh !
merci, merci, Torvald. Cela me suffira pour un bon
moment.

HELMER. J'espère bien.

NORA. Oh ! oui. Oh ! oui. Cela ira certainement. Mais viens
81 voir, je vais te montrer tout ce que j'ai acheté. Et ce
n'était pas cher du tout ! Regarde, voilà de nouveaux
habits pour Ivar — et puis un sabre. Voilà un cheval et
une trompette pour Bob. Et voilà une poupée et un lit
de poupée pour Emmy. C'est un jouet tout simple, mais
de toute façon, elle aura vite fait de le casser. Et j'ai ici
des robes et des serviettes pour nos deux bonnes ; en
réalité, on aurait dû faire beaucoup plus pour la vieille
Anne-Marie.

HELMER. Et qu'est-ce qu'il y a dans ce paquet ?

NORA, *elle pousse un cri.* Non, Torvald, cela, tu ne dois
92 pas le voir avant ce soir !

HELMER. Ah ! bon. Mais dis-moi, petite dépensière, qu'est-
ce que tu as prévu pour toi-même ?

NORA. Bah, pour moi ? Je n'ai envie de rien du tout.

HELMER. Mais bien sûr que si. Cite-moi une chose raisonnable, qui te ferait le plus plaisir.

NORA. Je ne vois vraiment pas. Ah ! si. Écoute, Torvald.

HELMER. Eh bien ?

NORA, *elle joue avec les boutons de la veste de son mari,*
101 *sans le regarder.* Si tu veux me donner quelque chose, tu
pourrais... tu pourrais...

HELMER. Allons, dis-le.

NORA, *rapidement.* Tu pourrais me donner de l'argent,
Torvald. Uniquement ce qui te semblera possible ; et
cela me servira à acheter quelque chose un peu plus tard.

HELMER. Mais voyons, Nora...

NORA. Si, si, je t'en prie, Torvald. Fais cela pour moi. Et
comme ça, j'accrocherai cet argent sur l'arbre de Noël
110 dans une belle enveloppe dorée. Tu ne trouves pas que
ce serait amusant ?

HELMER. Comment appelle-t-on les oiseaux qui ne réflé-
chissent pas à ce qu'ils font ?

NORA. Oui, oui, je sais, ce sont des étourneaux. Mais
faisons comme j'ai dit, Torvald ; et après, j'aurai le temps
de réfléchir à ce qui pourrait m'être le plus utile. C'est
très raisonnable ? Non ?

HELMER, *en souriant.* Si, c'est vrai. A condition toutefois
que tu arrives vraiment à garder l'argent que je te
120 donnerai, et que cela te serve vraiment à acheter quelque
chose pour toi. Mais il passera dans les dépenses du

ménage et toutes sortes de choses inutiles, et je serai
encore obligé de payer.

NORA. Oh ! tout de même, Torvald...

HELMER. Tu ne peux pas dire le contraire, ma chère petite
Nora. *(Il lui passe le bras autour de la taille.)* Notre petit
étourneau est gentil ; mais il lui faut beaucoup d'argent.
C'est incroyable ce que cela coûte à un homme d'avoir
129 un étourneau chez lui !

NORA. Ça, alors ! Comment peux-tu dire des choses pareilles ?
Pourtant, je mets vraiment de côté tout ce que je peux.

HELMER, *il rit.* En effet, c'est bien vrai. Tout ce que tu
peux ! C'est-à-dire rien du tout.

NORA, *elle chantonne et sourit gaiement.* Hum ! si seulement tu savais combien de dépenses nous avons, nous
les alouettes et les écureuils, Torvald.

HELMER. Tu es une curieuse petite personne. Tu es tout le
portrait de ton père. Tu fais des pieds et des mains pour
trouver de l'argent ; mais dès que tu l'as trouvé, il glisse
140 entre tes doigts, comme par enchantement. Tu ne sais
jamais ce que tu en fais. Enfin, il faut te prendre comme
tu es. Tu as ça dans le sang. Si, si, si, ces choses-là sont
héréditaires, Nora.

NORA. Ah ! j'aimerais bien avoir hérité de beaucoup des
qualités de papa.

HELMER. Et moi, je te trouve très bien comme tu es. Je
ne souhaite pas que tu changes. Mais écoute ; une idée
me vient. Tu as un air tellement... tellement... comment
149 dire ? tellement suspect, aujourd'hui...

NORA. C'est vrai ?

HELMER. Et comment ! Regarde-moi droit dans les yeux.

NORA, *elle le regarde.* Alors ?

HELMER, *il lève un index menaçant.* Notre petite gourmande n'aurait-elle pas fait des siennes en ville, aujourd'hui ?

NORA. Non. Qu'est-ce qui te fait croire cela ?

HELMER. Notre petite gourmande n'aurait-elle pas fait un
158 petit tour à la pâtisserie ?

NORA. Non, je t'assure, Torvald...

HELMER. N'aurait-elle pas pris un peu de confiture ?

NORA. Non, pas du tout.

HELMER. Même pas grignoté un macaron ou deux ?

NORA. Non, Torvald, je t'assure, vraiment...

HELMER. Bon, bon ! Je voulais simplement plaisanter, c'est tout...

NORA, *elle se dirige vers la table de droite.* Jamais il ne me viendrait à l'idée de faire des choses qui te déplaisent.

HELMER. C'est vrai, je le sais bien ; et tu m'as d'ailleurs donné ta parole... *(Il se dirige vers elle.)* Eh bien, tu n'as
170 qu'à garder pour toi tes petits secrets de Noël, ma chère Nora. La lumière se fera certainement ce soir, je pense, quand l'arbre de Noël sera allumé.

NORA. As-tu pensé à inviter le docteur Rank ?

HELMER. Non. Mais ce n'est pas nécessaire ; il est tout naturel qu'il dîne avec nous. D'ailleurs, je l'inviterai quand il viendra dans la matinée. J'ai commandé du bon vin. Nora, tu ne peux pas te figurer combien je me réjouis en pensant à ce soir.

NORA. Moi aussi. Et comme les enfants vont être heureux,
180 Torvald !

HELMER. Ah ! c'est merveilleux de penser qu'on a désormais un emploi sûr et stable ; qu'on va toucher régulièrement des sommes rondelettes. Tu ne trouves pas ?

C'est une perspective on ne peut plus réjouissante, non ?

NORA. Oh ! cela tient du prodige !

HELMER. Tu te souviens du dernier Noël ? Tu t'es enfermée
tous les soirs jusque bien après minuit, pendant trois
longues semaines, pour préparer des fleurs pour l'arbre
de Noël et toutes les autres surprises que tu voulais nous
190 faire. Oh ! là ! là ! ce fut la période la plus ennuyeuse que
j'aie jamais connue.

NORA. Moi, je ne me suis pas ennuyée du tout.

HELMER, *il sourit*. Mais le résultat a pourtant été assez
quelconque, Nora.

NORA. Oh ! tu ne vas pas recommencer à me taquiner avec
cela. Est-ce que c'est ma faute si le chat est entré et a
tout déchiré ?

HELMER. Non, tu n'y pouvais rien, bien sûr, ma pauvre
petite Nora. Tu y as mis la meilleure volonté du monde,
200 tu voulais nous faire plaisir à tous, et c'est cela l'essentiel.
Mais c'est tout de même bien d'en avoir fini avec ces
temps difficiles.

NORA. Oui, c'est vraiment merveilleux.

HELMER. Maintenant, je n'ai plus besoin de rester seul à
m'ennuyer ; et tu n'as plus besoin de fatiguer tes beaux
yeux et tes petites mains délicates...

NORA, *elle frappe dans ses mains*. Non, n'est-ce pas,
Torvald, ces temps-là sont révolus ? Oh ! comme c'est
merveilleux de te l'entendre dire ! *(Elle le prend par le*
210 *bras.)* Je vais te dire maintenant comment j'ai pensé que
nous pourrions arranger notre intérieur, Torvald. Dès
que Noël sera passé... *(On sonne dans le vestibule.)* Oh !
quelqu'un sonne. *(Elle remet un peu d'ordre dans le*
salon.) Voilà sans doute quelqu'un. C'est bien ennuyeux.

HELMER. Je ne suis pas là si c'est un visiteur. Ne l'oublie pas.

LA BONNE, *à la porte d'entrée.* Madame, il y a une dame que je ne connais pas...

NORA. Eh bien, fais-la entrer.

LA BONNE, *à Helmer.* Et le docteur est arrivé en même temps.

HELMER. Est-il entré directement dans mon bureau ?

LA BONNE. Oui, Monsieur.

Helmer entre dans son cabinet de travail. La bonne introduit Madame Linde dans le salon, puis ferme la porte derrière elle. Madame Linde porte des habits de voyage.

MADAME LINDE, *timidement et en hésitant un peu.* Bonjour, Nora.

NORA, *incertaine.* Bonjour...

MADAME LINDE. Tu ne me reconnais sans doute pas.

NORA. Non. Je ne vois pas... Mais si, je crois bien... *(En poussant un cri de surprise.)* Comment ! Christine ! Est-ce vraiment toi ?

MADAME LINDE. Oui, c'est moi.

NORA. Christine ! Et moi qui ne te reconnaissais pas ! Mais comment voudrais-tu d'ailleurs... *(En baissant la voix.)* Comme tu as changé, Christine !

MADAME LINDE. Eh oui ! que veux-tu ? En l'espace de neuf... dix longues années...

NORA. Y a-t-il si longtemps que nous nous sommes vues ? Mais oui, bien sûr. Oh ! tu sais, ces huit dernières années ont été des années heureuses. Et te voilà maintenant ici, dans notre ville ? Tu as fait ce long voyage en plein hiver. Tu as eu du courage !

MADAME LINDE. Je viens d'arriver ce matin, avec le bateau.

NORA. Pour t'amuser au moment de Noël, bien sûr ! Oh ! cela me fait vraiment plaisir. Il n'y a pas de doute, nous allons bien nous amuser. Mais enlève donc ton manteau. Tu n'as pas froid, j'espère ? *(Elle l'aide.)* Voilà ! Mettons-nous maintenant à l'aise près du poêle. Et puis non ! Plutôt dans ce fauteuil ! Et moi, je vais m'asseoir ici dans
250 le rocking-chair. *(Elle la prend par les mains.)* Voilà, maintenant, tu as retrouvé le visage que tu avais autre-fois ; c'était seulement l'effet de la surprise... Tu es tout de même devenue un peu plus pâle, Christine... et tu as peut-être aussi un peu maigri.

MADAME LINDE. Et j'ai beaucoup, beaucoup vieilli, Nora.

NORA. Oui, peut-être un peu, un tout petit peu ; mais vraiment pas beaucoup. *(Elle s'interrompt subitement, et prend un air grave.)* Oh ! mais que je suis distraite, je parle, je parle ! Ma chère, ma bonne Christine, je te
260 demande pardon !

MADAME LINDE. Que veux-tu dire, Nora ?

NORA, *à voix basse.* Voyons, ma pauvre Christine, tu es devenue veuve.

MADAME LINDE. Oui, cela fait trois ans.

NORA. Oh ! je le savais, bien sûr, puisque je l'ai lu dans les journaux. Oh ! Christine, je t'assure que j'ai souvent pensé à t'écrire à ce moment-là, mais j'ai toujours remis à plus tard, et il y a eu sans cesse des empêchements.

MADAME LINDE. Ma chère Nora, je comprends très bien.

NORA. Non, ce n'est pas bien de ma part, Christine. Oh !
271 ma pauvre, comme cela a dû être dur. Et il ne t'a rien laissé pour vivre ?

MADAME LINDE. Non.

NORA. Et vous n'avez pas eu d'enfants ?

MADAME LINDE. Non.

NORA. Il ne t'est vraiment rien resté du tout, alors ?

MADAME LINDE. Pas la moindre chose, pas même le
    chagrin, ni le regret.

NORA, *la regardant avec un air incrédule.* Mais, tout de
 280 même, Christine, comment est-ce possible ?

MADAME LINDE, *avec un sourire mélancolique et en lui
    caressant les cheveux.* Oh ! ce sont des choses qui arri-
    vent, Nora.

NORA. Tu es donc absolument seule. Ce doit être extrê-
    mement pénible pour toi. J'ai trois gentils enfants. Tu ne
    peux pas les voir tout de suite, parce qu'ils sont sortis
    avec la bonne. Mais raconte-moi donc tout...

MADAME LINDE. Non, non, non, c'est plutôt à toi de
    raconter.

NORA. Non, commençons par toi. Aujourd'hui, je ne veux
 291 pas être égoïste. Aujourd'hui, je ne veux penser qu'à tes
    affaires. Mais il faut tout de même que je te dise une
    chose, une seule. Es-tu au courant du grand bonheur qui
    nous est arrivé ces jours-ci ?

MADAME LINDE. Non. De quoi s'agit-il ?

NORA. Eh bien, figure-toi que mon mari est devenu
    directeur de la Banque Privée[1].

MADAME LINDE. Ton mari ? Oh ! quelle chance...

NORA. En effet, une chance inouïe ! Quand on est avocat,

---

1. Nous traduisons « Aktiebanken » (littéralement : banque par actions) par
Banque Privée. Le terme n'a guère d'importance ici. Dans une version
provisoire de la pièce, Ibsen faisait du docteur Hank (Rank) un des action-
naires de la banque en question. C'est là une preuve supplémentaire de la
densité et de la remarquable cohérence du texte.

300 on est toujours dans l'incertitude quant à ses revenus, surtout quand on ne veut s'occuper que d'affaires honnêtes et correctes. Et cela a toujours été le cas pour Torvald, bien sûr ; et je suis tout à fait d'accord avec lui là-dessus. Oh ! je n'ai pas besoin de te dire combien nous sommes heureux ! Il prendra ses fonctions à la banque juste après le Nouvel An, et il aura un bon traitement et de nombreuses gratifications. Désormais, nous pouvons vivre tout à fait différemment... nous pouvons faire tout ce que nous voulons. Oh ! Christine, comme je me sens 310 légère et heureuse ! C'est tout de même bien d'avoir vraiment beaucoup d'argent et de ne plus avoir à se faire de soucis. Tu ne trouves pas ?

MADAME LINDE. Si. En tout cas, chacun aimerait bien avoir le nécessaire.

NORA. Non, pas seulement le nécessaire, mais beaucoup, beaucoup d'argent.

MADAME LINDE, *en souriant.* Nora, Nora, tu n'es pas encore devenue raisonnable ? Quand tu allais à l'école, tu étais très dépensière.

NORA, *rit doucement.* Oui, Torvald trouve que je le suis 321 encore. *(Elle lève un index menaçant.)* Mais, "Nora, Nora" n'est pas aussi folle que vous le pensez. Oh ! nos moyens ne nous ont vraiment pas permis de jeter l'argent par les fenêtres. Il a fallu que nous travaillions tous les deux.

MADAME LINDE. Toi aussi ?

NORA. Oui, j'ai fait des ouvrages de dames, du crochet, de la broderie et des travaux de ce genre ; *(en prenant un air dégagé)* et encore d'autres choses. Tu sais sans doute 330 que Torvald a quitté le ministère quand nous nous sommes mariés ? Il n'y avait aucune perspective d'avancement dans son bureau, et il fallait bien qu'il gagne plus d'argent qu'avant. Mais la première année, il s'est terriblement surmené. Il a dû chercher toutes sortes de revenus annexes, tu comprends, et il a travaillé du matin au soir. Mais il n'a pas pu tenir longtemps, et il est tombé si malade que sa vie était en danger. Et les médecins ont estimé qu'il avait absolument besoin du climat méditerranéen.

MADAME LINDE. Oui. Vous êtes restés toute une année 341 en Italie ?

NORA. Oui, c'est bien ça. Crois-moi, la décision de partir n'a pas été facile à prendre. Ivar venait juste de naître à cette époque-là. Mais il fallait bien que nous partions. Oh ! nous avons fait un merveilleux voyage. Et cela a sauvé la vie à Torvald. Mais cela nous a coûté beaucoup d'argent, Christine.

MADAME LINDE. Je veux bien te croire.

NORA. Cela nous a coûté mille deux cents rixdales[1]. Quatre 350 mille huit cents couronnes. Cela en représente, de l'argent !

MADAME LINDE. Oui, et dans des cas comme celui-là, on est bien content d'en avoir.

NORA. Oui, mais il faut que je te dise que c'est papa qui nous l'a donné.

MADAME LINDE. Ah ! bon. C'est arrivé justement au moment où ton père est mort, je crois.

NORA. Oui, Christine, c'est juste à ce moment-là. Et dire que je n'ai pas pu venir chez lui pour le soigner.

---

1. Nous traduisons par rixdales le terme norvégien « spesier » qui désignait des « spesidaler ». Cette monnaie d'argent avait été la pièce de monnaie principale en Norvège jusqu'à l'introduction de la couronne dans les années soixante-dix. Elle avait une valeur approximative de quatre couronnes. La mention des deux monnaies, sans doute fréquente à l'époque, apporte une note réaliste.

360 J'attendais le petit Ivar, et il pouvait venir au monde
d'un jour à l'autre. Et puis j'avais aussi à m'occuper de
mon pauvre Torvald dont la maladie risquait d'être
fatale. Mon cher petit papa ! Je ne l'ai jamais revu,
Christine. Oh ! c'est la chose la plus pénible qui me soit
arrivée depuis mon mariage.

MADAME LINDE. Je sais que tu lui étais très attachée.
Mais vous êtes ensuite partis pour l'Italie ?

NORA. Oui, puisque nous avions l'argent. Et les médecins
nous poussaient à faire vite. C'est comme cela que nous
370 sommes partis un mois plus tard.

MADAME LINDE. Et ton mari était entièrement guéri
quand vous êtes revenus ?

NORA. Il se portait comme un charme.

MADAME LINDE. Mais... le docteur ?

NORA. Que veux-tu dire ?

MADAME LINDE. Il me semble que la bonne a dit que
c'était un docteur, cet homme qui est arrivé en même
temps que moi.

NORA. Oui, c'est le docteur Rank, mais il ne vient pas en
380 tant que médecin. C'est notre meilleur ami, et il passe
chez nous au moins une fois par jour. Non, Torvald n'a
pas été malade depuis, même pas pendant une heure. Et
les enfants sont en très bonne santé, tout comme moi.
(Elle se lève d'un bond et frappe des mains.) Mon Dieu,
mon Dieu, Christine, que c'est merveilleux de vivre et
d'être heureux !... Oh ! mais c'est affreux de ma part..., je
parle uniquement de mes propres affaires. *(Elle s'assied
sur un tabouret tout près de Madame Linde et appuie ses
bras sur les genoux de celle-ci.)* Oh ! ne m'en veux pas !
390 Dis-moi, est-ce bien vrai que tu n'aimais pas ton mari ?
Pourquoi lui as-tu dit oui, dans ces conditions-là ?

MADAME LINDE. Ma mère était encore en vie ; et elle
    était malade, au lit, sans personne pour l'aider. Et puis
    j'avais à m'occuper de mes deux frères cadets. J'ai pensé
    que ce ne serait pas raisonnable de repousser sa demande.

NORA. En effet, tu as peut-être eu raison. Il était donc riche
    à l'époque ?

MADAME LINDE. Sa fortune était tout à fait honorable,
    je crois. Mais ses affaires n'étaient pas très solides, Nora.
400 Quand il est mort, tout a <u>périclité</u>, et il n'est rien resté.

NORA. Et après ?

MADAME LINDE. Eh bien, il a fallu que je m'en sorte
    avec un petit commerce, des leçons particulières, et
    d'autres choses encore, suivant ce qui se présentait. Ces
    trois dernières années ont été pour moi comme une
    longue journée de travail ininterrompu. Mais mainte-
    nant, c'est fini, Nora. Ma pauvre mère n'a plus besoin
    de moi, puisqu'elle n'est plus de ce monde. Et les garçons
    non plus, puisqu'ils ont chacun leur situation et qu'ils
410 peuvent subvenir à leurs besoins.

NORA. Comme tu dois te sentir légère...

MADAME LINDE. Détrompe-toi ; je sens simplement un
    grand vide. Je n'ai plus personne pour qui vivre. *(Elle se
    lève, agitée.)* C'est pour cela que je n'y tenais plus là-bas,
    dans ce trou perdu. Ici, il sera sans doute plus facile de
    trouver un travail suffisamment prenant pour occuper
    mes pensées. Si seulement je pouvais avoir la chance
    d'obtenir une place, un travail de bureau...

NORA. Mais Christine, c'est terriblement fatigant, et tu as
420 déjà l'air tellement fatiguée. Tu devrais plutôt faire une
    cure thermale.

MADAME LINDE, *se dirige vers la fenêtre.* Je n'ai pas de
    papa pour me payer le voyage, Nora.

NORA, *elle se lève.* Allons, ne m'en veux pas.

MADAME LINDE, *en s'approchant d'elle*. Ma chère Nora,
c'est plutôt à toi de ne pas m'en vouloir. Ce qu'il y a de
pire, quand on est dans une situation comme la mienne,
c'est que cela crée beaucoup d'amertume. On n'a personne pour qui travailler ; et pourtant, on est obligé de
430 se donner beaucoup de mal. Il faut bien qu'on vive, et
c'est comme cela qu'on devient égoïste. Quand tu m'as
parlé de l'heureux changement de situation qui vous
arrive, peut-être me croiras-tu, mais je me suis plus
réjouie en pensant à moi qu'à toi.

NORA. Comment cela ? Oh, je comprends. Tu veux dire
que Torvald pourra peut-être faire quelque chose pour
toi.

MADAME LINDE. Oui, c'est bien à cela que j'ai pensé.

NORA. En effet, il va faire quelque chose, Christine. Tu
440 peux me faire confiance. Je vais amener la chose sur le
tapis avec beaucoup de diplomatie. Je vais trouver
quelque chose de gentil qui lui fera beaucoup plaisir. Oh,
j'aimerais tellement te rendre service.

MADAME LINDE. Comme c'est gentil de ta part, Nora,
de montrer tant d'empressement pour moi ; c'est doublement gentil, quand on pense que tu as si peu l'expérience
des épreuves et des vicissitudes de la vie.

NORA. Moi ? J'ai si peu l'expérience...

MADAME LINDE, *en souriant*. Oh, mon Dieu, les menus
450 travaux que tu as faits... Tu es une enfant, Nora.

NORA, *redresse fièrement la tête et traverse la scène*. Tu ne
devrais pas me dire cela en prenant un air supérieur.

MADAME LINDE. Vraiment ?

NORA. Tu es comme les autres. Vous croyez tous que je ne
peux rien faire de sérieux...

MADAME LINDE. Allons, allons...

NORA. ... que je n'ai jamais connu aucune des épreuves de la vie.

MADAME LINDE. Mais ma chère Nora, tu viens de me
460 raconter tous tes déboires.

NORA. Bah ! ce ne sont que des bagatelles ! *(A voix basse.)* Je ne t'ai pas raconté le principal.

MADAME LINDE. Le principal ? Que veux-tu dire ?

NORA. Tu me regardes vraiment du haut de ta grandeur, Christine ; mais tu ne devrais pas. Tu es fière d'avoir travaillé si dur et si longtemps pour ta mère.

MADAME LINDE. Je ne regarde certainement personne du haut de ma grandeur. Mais je ne peux pas nier que je suis fière et heureuse d'avoir eu le privilège d'assurer
470 à ma mère une existence à peu près tranquille pendant les derniers jours de sa vie.

NORA. Et tu es fière aussi lorsque tu penses à ce que tu as fait pour tes frères.

MADAME LINDE. J'estime que j'en ai le droit.

NORA. Je suis d'accord avec toi. Mais il faut que je te dise une chose, Christine. Moi aussi, j'ai de quoi être fière et heureuse.

MADAME LINDE. Je n'en doute pas. Mais que veux-tu dire par là ?

NORA. Parle doucement. Il ne faudrait surtout pas que
481 Torvald nous entende ! Pour rien au monde je ne voudrais qu'il... Personne ne doit le savoir, Christine ; personne d'autre que toi.

MADAME LINDE. Mais de quoi s'agit-il ?

NORA. Viens donc ici. *(Elle la fait s'asseoir sur le canapé à côté d'elle.)* Tu sais... moi aussi, j'ai de quoi être fière et heureuse. C'est moi qui ai sauvé la vie de Torvald.

MADAME LINDE. Sauvé... ? Qu'entends-tu par « sauvé » ?

NORA. Je t'ai parlé de notre voyage en Italie. Torvald ne
490 s'en serait pas sorti s'il n'avait pas pu y aller...

MADAME LINDE. Eh bien oui, ton père vous a donné l'argent dont vous aviez besoin...

NORA, *elle sourit.* Oui, c'est ce que croient Torvald et tous les autres, mais...

MADAME LINDE. Mais... ?

NORA. Papa ne nous a pas donné un sou. C'est moi qui ai trouvé le moyen de nous procurer cet argent.

MADAME LINDE. Toi ? Une somme aussi importante ?

NORA. Mille deux cents rixdales. Quatre mille huit cents
500 couronnes. Qu'est-ce que tu en dis ?

MADAME LINDE. Mais voyons, Nora, comment t'y es-tu prise ? Est-ce que tu as gagné à la loterie ?

NORA, *sur un ton méprisant.* A la loterie ? *(Avec une moue de dédain.)* Quel mérite est-ce que j'aurais eu ?

MADAME LINDE. Mais où les as-tu donc trouvées ?

NORA *chantonne et sourit d'un air mystérieux.* Hum, tra la la la !

MADAME LINDE. De toute façon, il n'était pas question
509 de les emprunter.

NORA. Tiens ! Et pourquoi ?

MADAME LINDE. Eh bien, une femme ne peut pas faire d'emprunt sans l'accord de son mari.

NORA *redresse fièrement la tête.* Oh ! quand c'est une femme qui s'y entend un peu en affaires, une femme qui sait faire preuve d'un peu d'intelligence, eh bien...

MADAME LINDE. Mais, Nora, je ne comprends vraiment pas...

NORA. Tu n'as pas besoin de comprendre. Il n'est pas du
tout dit que cet argent soit dû à un emprunt. Je peux
520 l'avoir eu par d'autres moyens. *(Elle se cale contre le
dossier du canapé.)* Il peut m'avoir été donné par un
admirateur quelconque. Quand on a du charme comme
moi...

MADAME LINDE. Tu es folle.

NORA. Avoue que tu brûles d'envie de savoir le fin mot de
l'histoire, Christine.

MADAME LINDE. Mais, dis-moi, Nora... est-ce que tu
n'as pas agi inconsidérément ?

NORA, *elle se tient de nouveau droite.* Est-ce inconsidéré de
530 sauver la vie de son mari ?

MADAME LINDE. Ce qui me semble inconsidéré, c'est
que tu aies fait cela sans qu'il soit au courant...

NORA. Mais il fallait justement éviter qu'il sache quoi que
ce soit ! Juste Ciel, tu n'arrives pas à comprendre cela ?
Il ne fallait même pas qu'il sache à quel point sa maladie
était grave. C'est moi que les médecins ont prévenue que
sa vie était en danger ; que le seul moyen de le sauver,
c'était un séjour au bord de la Méditerranée. Tu penses
bien que j'ai d'abord essayé de l'avoir par la ruse ! Je lui
540 ai expliqué que cela me ferait beaucoup plaisir de faire
un voyage à l'étranger, comme d'autres jeunes femmes ;
j'ai pleuré, je l'ai supplié ; je lui ai dit qu'il pouvait tout
de même tenir compte de mon état, qu'il devait être
assez prévenant pour m'accorder ce que je lui demandais ; et puis je lui ai suggéré de faire un emprunt. Mais
à ce moment-là, il s'est presque mis en colère, Christine.
Il a dit que j'étais une petite écervelée, et que c'était son
devoir en tant que mari de ne pas céder à tous les
caprices et toutes les fantaisies qui me passaient par la
550 tête... je crois que ce sont les termes qu'il a employés. Je

me suis dit alors : « Ça ne fait rien, il faut de toute façon que je te sauve. » Et c'est là que j'ai trouvé une solution.

MADAME LINDE. Et ton père n'a pas dit à ton mari que l'argent ne venait pas de lui ?

NORA. Non, jamais. Papa est mort justement à cette époque-là. J'avais l'intention de le mettre au courant, et de lui demander de ne rien dire à personne. Mais comme il était si malade... Hélas, je n'ai pas eu besoin de le
559 faire.

MADAME LINDE. Et depuis, tu ne t'en es jamais ouverte à ton mari ?

NORA. Oh ! que non ! Juste Ciel, comment peux-tu imaginer chose pareille ? Lui qui est si strict sur ce point ! Et d'ailleurs... Torvald, avec son amour-propre bien masculin... ce serait trop pénible et trop humiliant pour lui de savoir qu'il me doit quelque chose. Cela bouleverserait nos rapports de fond en comble ; notre beau foyer heureux ne serait plus ce qu'il est actuellement.

MADAME LINDE. Tu ne lui diras jamais ce qu'il en est ?

NORA, *l'air pensif, en souriant à demi.* Si... peut-être plus
571 tard... quand de nombreuses années auront passé, et que je ne serai plus aussi belle que maintenant. Il n'y a pas de quoi rire ! Je veux dire, bien sûr, quand Torvald ne m'appréciera plus autant que maintenant ; quand il n'aura plus autant de plaisir à me voir danser devant lui, me déguiser et déclamer des vers. Il ne sera peut-être pas mauvais, à ce moment-là, d'avoir quelque chose en réserve... *(Elle s'interrompt.)* Mais qu'est-ce que je raconte ? Ce temps-là ne viendra jamais... Eh bien, que dis-tu de
580 mon grand secret, Christine ? Tu ne trouves pas que je suis bonne à quelque chose, moi aussi ?... Mais crois-moi, cette affaire m'a causé bien du souci. Cela n'a pas été facile de respecter mes engagements aux dates pré-

vues. Je te signale que dans le monde des affaires, il y a
quelque chose qu'on appelle les intérêts trimestriels, et
quelque chose qu'on appelle l'amortissement ; et ces
sommes-là sont toujours terriblement difficiles à trouver.
C'est pourquoi j'ai dû économiser un peu sur tout. Il
n'était pas question de mettre quoi que ce soit de côté
590 sur l'argent réservé aux dépenses du ménage, car il fallait
que Torvald se sente à son aise. Je ne pouvais pas non
plus accepter que les enfants soient mal habillés ; je n'ai
rien voulu prélever sur les sommes qui leur étaient
destinées. Ils sont tellement mignons, ces chers petits !

MADAME LINDE. C'est donc sur tes dépenses personnelles
que tu as prélevé ce qu'il fallait, ma pauvre Nora ?

NORA. Cela va de soi. Il faut dire aussi que c'était moi la
première concernée. A chaque fois que Torvald me
donnait de l'argent pour m'acheter de nouvelles robes ou
600 des choses de ce genre, je n'en utilisais que la moitié.
J'ai toujours acheté ce qu'il y avait de plus simple et de
moins cher. C'est une chance inouïe qu'un rien m'habille,
car ainsi, Torvald n'a rien remarqué. Mais cela m'a
souvent fait mal au cœur, Christine ; parce que c'est tout
de même agréable d'être bien habillée. Tu ne trouves
pas ?

MADAME LINDE. Si, bien sûr.

NORA. Mais, j'ai eu encore d'autres revenus. L'hiver dernier, j'ai eu la chance de trouver une quantité de travaux
610 de copie. Alors je me suis enfermée tous les soirs pour
écrire jusque tard dans la nuit. Oh ! j'étais souvent bien,
bien fatiguée. Mais c'était tout de même très drôle de
travailler pour gagner de l'argent. J'avais presque l'impression d'être un homme.

MADAME LINDE. Mais quelle somme es-tu arrivée à
rembourser de cette manière ?

NORA. Oh ! je ne sais pas exactement. Tu sais, il est très difficile de tenir une comptabilité dans ce genre d'affaires. Je sais simplement que j'ai donné tout ce que j'ai pu
620 mettre de côté. J'ai été plus d'une fois dans une situation désespérée. *(Elle sourit.)* Et dans ces moments-là, je m'imaginais qu'un vieux monsieur riche était tombé amoureux de moi...

MADAME LINDE. Comment ? Quel monsieur ?

NORA. Oh ! je dis des bêtises !... qu'il était mort, et qu'au moment où on ouvrait son testament, on y lisait écrit en grandes lettres : « Tout mon argent doit être versé immédiatement et en espèces à la charmante Madame Nora
629 Helmer. »

MADAME LINDE. Mais, ma chère Nora... qui était donc ce monsieur ?

NORA. Mon Dieu, tu ne comprends donc pas ? Ce vieux monsieur n'existait même pas ; c'est simplement une idée que je ruminais et ruminais quand je ne savais pas comment faire pour me procurer de l'argent. Mais peu importe, ce vieux bonhomme ennuyeux n'a qu'à rester où il est ; je ne m'intéresse ni à lui, ni à son testament, car maintenant, je n'ai plus de soucis à me faire. *(Elle se lève d'un bond.)* Oh ! mon Dieu, quel plaisir de penser à
640 cela, Christine ! Plus de soucis ! Je n'ai aucun souci à me faire, absolument aucun souci ! Je peux jouer avec les enfants et m'ébattre avec eux. Je peux arranger notre intérieur pour qu'il soit agréable et chaud, tout agencer selon les goûts de Torvald ! Et dire que le printemps va bientôt venir avec un beau ciel bleu ! Nous pourrons peut-être voyager un peu. Je pourrai peut-être revoir la mer. Oh ! la vie est vraiment merveilleuse quand on est heureux !

On entend la sonnette dans le vestibule.

MADAME LINDE *se lève.* On sonne. Il vaut peut-être
650 mieux que je m'en aille.

NORA. Non, reste donc. Je pense que personne n'entrera
ici ; c'est sans doute pour Torvald...

LA BONNE, *à la porte du vestibule.* Pardon, madame... il y
a un monsieur qui veut parler à monsieur l'avocat...

NORA. Tu veux dire : monsieur le Directeur...

LA BONNE. Oui, monsieur le Directeur ; mais je ne savais
pas... comme le docteur est là...

NORA. Qui est ce monsieur ?

L'AVOUÉ KROGSTAD, *à la porte du vestibule.* C'est moi,
660 madame.

MADAME LINDE, *elle a un mouvement d'étonnement,
sursaute, et se tourne vers la fenêtre.*

NORA *fait un pas dans sa direction, elle est nerveuse et
parle à mi-voix.* Vous ? Qu'y a-t-il ? De quoi voulez-
vous parler avec mon mari ?

KROGSTAD. De questions bancaires... si l'on veut. J'ai un
petit emploi à la Banque Privée et votre mari va devenir
notre chef, d'après ce que j'ai entendu...

NORA. C'est donc...

KROGSTAD. Il ne s'agit que d'affaires très terre à terre,
671 madame, et de rien d'autre.

NORA. Eh bien, je vous en prie, entrez donc dans le bureau.

*Elle le salue négligemment, ferme la porte du vestibule ;
et va ensuite s'occuper du poêle.*

MADAME LINDE. Nora... qui est cet homme ?

NORA. C'est un avoué du nom de Krogstad.

MADAME LINDE. C'est donc bien lui.

NORA. Tu connais cette personne ?

MADAME LINDE. Je l'ai connu autrefois... il y a plusieurs
   années. Il a été premier clerc dans une étude dans notre
   679 région.

NORA. Mais oui, c'est bien vrai.

MADAME LINDE. Comme il a changé.

NORA. Je crois qu'il a été très malheureux en ménage.

MADAME LINDE. Mais il est veuf, maintenant ?

NORA. Et il a beaucoup d'enfants. Voilà, le feu a pris.

   *Elle ferme la porte du poêle et déplace légèrement le
   rocking-chair.*

MADAME LINDE. Il est mêlé à toutes sortes d'affaires,
   d'après ce qu'on dit.

NORA. Ah ! bon. C'est fort possible ; je n'en sais rien...
   Mais ne parlons pas d'affaires ; c'est tellement ennuyeux.

   Le docteur Rank sort du bureau de Helmer.

LE DOCTEUR RANK, *sur le pas de la porte.* Non, non. Je
   690 ne veux pas vous déranger ; je vais plutôt bavarder un
   peu avec ta femme. *(Il ferme la porte et remarque
   Madame Linde.)* Oh ! excusez-moi, je vous dérange sans
   doute aussi.

NORA. Non, pas du tout. *(Elle fait les présentations.)* Le
   docteur Rank. Madame Linde.

RANK. Eh bien, c'est un nom qu'on entend souvent dans
   cette maison. Je crois que je suis passé à côté de Madame
   dans l'escalier en arrivant.

MADAME LINDE. Oui, j'avance très lentement ; j'ai du
   700 mal à monter les escaliers.

RANK. Ah ! Ah ! seriez-vous un tant soit peu rongée par un
   mal intérieur ?

MADAME LINDE. C'est plutôt le surmenage.

RANK. Rien d'autre ? Dans ce cas, vous êtes sans doute venue en ville pour vous remettre en participant à toutes les fêtes ?

MADAME LINDE. Je suis venue ici pour chercher du
708 travail.

RANK. Serait-ce un remède efficace contre le surmenage ?

MADAME LINDE. Il faut bien vivre, docteur.

RANK. C'est en effet une idée très répandue. On trouve généralement que c'est absolument nécessaire.

NORA. Mais voyons, docteur Rank... vous aussi, vous tenez beaucoup à la vie.

RANK. Bien sûr. Aussi pitoyable que soit mon état, je suis tout disposé à me laisser torturer le plus longtemps possible. Tous mes malades réagissent de la même manière. Et c'est exactement la même chose avec les gens qui sont atteints moralement. A l'instant où nous
720 parlons, il y a justement dans le bureau de Helmer un de ces cas qui relèvent d'un traitement clinique moral...

MADAME LINDE, *d'une voix sourde.* Ah !

NORA. De qui voulez-vous parler ?

RANK. Oh ! il s'agit d'un avoué du nom de Krogstad, c'est un individu dont vous ignorez tout. Il est corrompu jusqu'aux racines de son être, madame. Eh bien, lui aussi, il a prétendu tout à l'heure qu'il fallait bien qu'il vive, et il estime que c'est une chose de la plus haute importance.

NORA. Vraiment ? De quoi voulait-il s'entretenir avec
731 Torvald ?

RANK. Je ne sais pas du tout. J'ai simplement entendu que cela avait rapport avec la Banque Privée.

NORA. Je ne savais pas que Krog... que cet avoué Krogstad avait à faire avec la Banque.

RANK. Si, on lui a trouvé un emploi quelconque. *(S'adressant à Madame Linde.)* Je ne sais pas si, dans votre région, il y a aussi de ces gens avides de dépister de la pourriture morale. Dès qu'ils ont trouvé un cas intéres-
740 sant, ils le mettent alors en observation en lui procurant une bonne place ou une autre. Et les gens bien portants n'ont qu'à attendre gentiment derrière la porte.

MADAME LINDE. Ce sont tout de même bien les malades qui ont le plus besoin qu'on s'occupe d'eux.

RANK *hausse les épaules.* Nous y voilà, encore une fois. C'est parce qu'on voit les choses de cette manière que la société est devenue un hôpital.

NORA, *absorbée par ses propres pensées, elle se met à rire à mi-voix et bat des mains.*

RANK. Pourquoi riez-vous ? Est-ce que vous savez seule-
751 ment ce qu'est la société ?

NORA. Pourquoi voulez-vous que je me soucie de la société, elle est tellement ennuyeuse ? Je riais pour une tout autre raison... c'est prodigieusement amusant... Dites-moi, docteur Rank... à l'avenir, tous les employés de la Banque Privée vont dépendre de Torvald ?

RANK. Et vous trouvez cela prodigieusement amusant ?

NORA *sourit et chantonne.* C'est mon affaire ! C'est mon affaire ! *(Elle va et vient dans la pièce.)* Cela me fait
760 vraiment énormément plaisir de penser que nous... que Torvald a une telle influence et qu'elle s'exerce sur tant de gens. *(Elle sort le sachet de macarons de sa poche.)* Docteur Rank, voulez-vous un petit macaron ?

RANK. Voyez-vous cela ! Des macarons ! Je croyais que c'étaient des denrées interdites dans cette maison.

NORA. Oui, mais ceux-ci, c'est Christine qui me les a offerts.

MADAME LINDE. Comment ? Je...

NORA. Allons, allons ; ne t'effraie pas. Tu ne pouvais pas
770 savoir que Torvald l'avait défendu. Il a tellement peur
que cela m'abîme les dents. Mais tant pis... pour une
fois... ! N'est-ce pas, docteur Rank ? Tenez ! *(Elle lui met
un macaron dans la bouche.)* Et voilà pour toi, Christine.
Et moi aussi, j'en prends un ; seulement un petit... ou
deux, tout au plus. *(Elle recommence à se promener de
long en large.)* Me voilà vraiment comblée. Il n'y a plus
qu'une chose au monde qui me fasse encore follement
envie.

RANK. Et alors ? Qu'est-ce que c'est ?

NORA. C'est quelque chose que j'aurais une folle envie de
780 dire en présence de Torvald.

RANK. Et pourquoi ne pouvez-vous pas le dire ?

NORA. Je n'ose pas, c'est trop laid.

MADAME LINDE. Laid ?

RANK. Eh bien, dans ces conditions, il est préférable de
vous en abstenir. Mais à nous, vous pourriez peut-être...
Qu'avez-vous donc tellement envie de dire en présence
787 de Helmer ?

NORA. J'ai follement envie de dire : nom de nom[1] !

RANK. Vous êtes folle ?

MADAME LINDE. Mais tout de même, Nora...

RANK. Dites-le donc. Le voilà.

---

1. Le juron prononcé ici par Nora signifie littéralement : « mort et tour-
ment ». La traduction la plus fidèle aurait peut-être été « enfer et damnation »,
mais nous avons préféré l'écarter, parce que ce terme est d'un emploi
nettement plus rare que celui qu'a choisi Ibsen. Qu'on le prenne dans son
sens littéral ou non, ce juron est sans doute un signal de la part de l'auteur
pour montrer qu'un esprit de révolte couve déjà chez Nora, malgré les
apparences. Ce serait par conséquent un argument qui parlerait en faveur de
l'unité psychologique du personnage principal.

NORA, *elle cache le sachet de macarons.* Chut, chut, chut !

    Helmer, le manteau sur le bras et le chapeau à la main, sort de son bureau.

NORA, *s'adressant à lui.* Alors, mon cher Torvald, tu es arrivé à te débarrasser de lui ?

HELMER. Oui, il vient de partir.

NORA. Tu me permettras de te présenter... C'est Christine qui est venue en ville.

HELMER. Christine... ? Je vous prie de m'excuser, mais je
799 ne vois pas...

NORA. Madame Linde, mon cher Torvald ; Madame Christine Linde.

HELMER. Ah ! bon. Sans doute une amie d'enfance de ma femme ?

MADAME LINDE. Oui, nous nous sommes connues autrefois.

NORA. Et figure-toi qu'elle a fait ce long voyage pour s'entretenir avec toi.

HELMER. Et pourquoi donc ?

MADAME LINDE. En réalité, ce n'est pas tout à fait cela...

NORA. Il faut dire que Christine est merveilleusement
811 douée pour le travail de bureau, et qu'elle a terriblement envie de travailler sous les ordres d'un homme de valeur pour apprendre autre chose que ce qu'elle sait déjà...

HELMER. C'est une idée tout à fait raisonnable, madame.

NORA. Et quand elle a su que tu étais devenu directeur de banque — elle a appris la nouvelle par dépêche —, elle est venue ici du plus vite qu'elle a pu et... Allons, Torvald, tu feras bien quelque chose pour Christine pour me faire plaisir ? Non ?

HELMER. Ce n'est pas du tout infaisable. Madame est
821 probablement veuve ?

MADAME LINDE. Oui.

HELMER. Et vous êtes habituée au travail de bureau ?

MADAME LINDE. Oui, dans une certaine mesure.

HELMER. Eh bien, dans ces conditions, il est fort probable
que je puisse vous procurer un emploi...

NORA *bat des mains.* Tu vois, tu vois !

HELMER. Vous arrivez à un moment propice, madame...

MADAME LINDE. Oh ! comment puis-je vous exprimer
830 ma reconnaissance... ?

HELMER. C'est tout à fait inutile. *(Il enfile son manteau.)*
Mais je vous prie de m'excuser pour aujourd'hui...

RANK. Attends, je sors en même temps que toi.

   *Il va prendre son manteau de fourrure dans le vestibule
   et le réchauffe près du poêle.*

NORA. Ne rentre pas trop tard, mon cher Torvald.

HELMER. J'en ai pour une heure, pas plus.

NORA. Tu t'en vas aussi, Christine ?

MADAME LINDE, *elle enfile son manteau.* Oui, il faut que
je me mette à chercher une chambre.

HELMER. Nous pouvons peut-être faire un bout de chemin
840 ensemble.

NORA, *elle aide Madame Linde.* C'est bien dommage que
nous soyons si petitement logés, mais nous ne pouvons
vraiment pas...

MADAME LINDE. Mais voyons, tu n'y penses pas ! Au
revoir, ma chère Nora, je te remercie beaucoup.

NORA. Au revoir, et à tout à l'heure. Il va de soi que tu
reviens ce soir. Et vous aussi, docteur Rank. Comment ?

Si vous vous sentez assez bien ? Mais voyons, c'est
849 évident : il vous suffira de bien vous couvrir.

Tout le monde sort dans le vestibule en bavardant. On
entend des voix d'enfants dans l'escalier.

NORA. Les voilà ! Les voilà !

Elle court ouvrir la porte. Anne-Marie, la nurse, entre
avec les enfants.

NORA. Entrez, entrez ! *(Elle se baisse et les embrasse.)* Oh !
que vous êtes mignons, mes petits chéris... ! Alors,
Christine, tu ne les trouves pas gentils ?

RANK. Ne restez pas là à bavarder dans le courant d'air !

HELMER. Venez, Madame Linde ; il faut être mère de
famille pour pouvoir supporter l'atmosphère de cette
maison, maintenant.

Le docteur Rank, Helmer et Madame Linde descendent
l'escalier. La nurse entre dans le salon avec les enfants.
Nora rentre également et ferme la porte du vestibule.

NORA. Comme vous avez bonne mine ! Et vos bonnes
joues qui sont devenues toutes rouges ! On dirait des
860 pommes et des roses ! *(Les enfants parlent tous à la fois*
jusqu'à la fin de la scène.) Vous êtes-vous amusés comme
cela ? C'est très bien. Ah bon ? tu as tiré le traîneau avec
Emmy et Bob dessus ? Ça alors, les deux à la fois ! Tu
sais y faire, Ivar. Oh ! laisse-la-moi un peu, Anne-Marie.
Ma petite poupée chérie ! *(Elle prend à la bonne le plus*
petit des enfants, une fille, et danse avec elle.) Ne
t'inquiète pas, Bob, Maman va aussi danser avec toi.
Comment ? Vous avez jeté des boules de neige ? Oh !
j'aurais bien voulu être là, moi aussi ! Non, je t'en prie,
870 je vais les déshabiller moi-même, Anne-Marie. Oh ! si,
laisse-moi faire, c'est tellement amusant. Tu n'as qu'à
entrer en attendant ; tu as l'air toute gelée. Sers-toi donc
un café bien chaud. La cafetière est sur le poêle.

La nurse entre dans la pièce de gauche. Nora déshabille
les enfants et jette leurs manteaux n'importe où, tout en
laissant les enfants babiller sans aucune retenue.

NORA. Ah bon ? Il y a eu un gros chien qui vous a couru
après ? Mais il ne vous a pas mordus ? Non, les chiens
ne mordent pas de gentilles petites poupées comme vous.
N'ouvre pas les paquets, Ivar ! Ce que c'est ? Si vous
saviez ! Oh ! non, non. C'est quelque chose d'affreux.
Alors ? On joue ? A quoi pourrions-nous jouer ? A cache-
880 cache. D'accord, jouons à cache-cache. C'est Bob qui va
se cacher le premier. Vous voulez que ce soit moi ? Bon,
je vais me cacher la première.

Elle joue avec les enfants dans le salon et dans la pièce
de droite, à grand renfort d'éclats de rire et de cris de
joie. Pour finir, Nora se cache sous la table ; les enfants
entrent en se bousculant, cherchent, mais n'arrivent pas
à la trouver, entendent son rire étouffé, se précipitent vers
la table, soulèvent la nappe, la découvrent. Bruyantes
démonstrations de joie. Nora sort à quatre pattes de
dessous la table, comme si elle voulait leur faire peur.
Nouveaux cris de joie. Mais quelqu'un vient de frapper à
la porte d'entrée ; personne n'a rien remarqué. La porte
s'entrouvre ; et l'avoué Krogstad apparaît ; il attend un
peu ; le jeu se poursuit.

KROGSTAD. Je vous prie de m'excuser, Madame Helmer...

NORA, *elle pousse un cri étouffé ; se retourne et sursaute.*
Ah ! Que voulez-vous ?

KROGSTAD. Je vous demande pardon ; la porte d'entrée
était entrouverte ; quelqu'un a dû oublier de la fermer...

NORA, *elle se relève.* Mon mari n'est pas à la maison,
889 Monsieur Krogstad.

KROGSTAD. Je le sais.

NORA. Alors, pourquoi êtes-vous venu ?

KROGSTAD. J'ai un mot à vous dire.

NORA. Un mot à me... ? *(S'adressant aux enfants, à voix basse.)* Allez voir Anne-Marie. Comment ? Non, cet étranger ne veut pas faire de mal à maman. Quand il sera parti, nous reprendrons le jeu.

    Elle fait entrer les enfants dans la pièce de gauche et ferme la porte derrière eux.

NORA, *nerveuse et tendue.* Vous voulez me parler ?

KROGSTAD. Oui, madame.

NORA. Aujourd'hui... ? Mais nous ne sommes pas encore
900 le premier du mois...

KROGSTAD. Non, c'est le soir du réveillon. C'est vous-même qui allez décider dans quelle mesure ce Noël sera pour vous un sujet de joie.

NORA. Que voulez-vous donc ? Pour aujourd'hui, il m'est absolument impossible...

KROGSTAD. Ne parlons pas de cela pour le moment. Il s'agit d'autre chose. Vous avez un instant, je pense ?

NORA. Oh ! oui, certainement, bien que...

KROGSTAD. Bien. J'étais assis au restaurant, chez Olsen,
910 et j'ai vu votre mari descendre la rue...

NORA. Il est sorti, c'est vrai.

KROGSTAD. ... avec une dame.

NORA. Et alors ?

KROGSTAD. Puis-je me permettre de vous demander si cette dame n'était pas une certaine Madame Linde ?

NORA. Si.

KROGSTAD. Elle vient juste d'arriver en ville ?

NORA. Oui, aujourd'hui.

KROGSTAD. Vous êtes très liée avec elle, n'est-ce pas ?

NORA. Oui, c'est vrai. Mais je ne vois pas...

KROGSTAD. Moi aussi, je l'ai connue autrefois.

NORA. Je le sais.

KROGSTAD. Tiens ? Vous êtes au courant de cela. C'est
924 bien ce que je pensais. Eh bien, dans ces conditions
permettez-moi de vous demander carrément s'il est prévu
que Madame Linde ait un emploi à la Banque Privée.

NORA. Comment pouvez-vous prendre la liberté de m'im-
portuner avec vos questions, monsieur Krogstad, vous
qui êtes l'un des subordonnés de mon mari ? Mais
puisque vous voulez le savoir, je vais vous le dire : oui,
930 Madame Linde va être embauchée. Et c'est moi qui ai
plaidé en sa faveur, Monsieur Krogstad. Maintenant,
vous le savez.

KROGSTAD. J'avais donc deviné juste.

NORA *marche de long en large dans la pièce.* Oh ! vous
savez, on a tout de même toujours un peu d'influence.
Ce n'est pas parce qu'on est une femme, qu'il est dit
obligatoirement que... Quand on est aux ordres de
quelqu'un d'autre, Monsieur Krogstad, on devrait vrai-
940 ment s'abstenir de froisser une personne qui... hum...

KROGSTAD. ... qui a de l'influence ?

NORA. Oui, justement.

KROGSTAD, *il change de ton.* Madame Helmer, auriez-
vous l'amabilité d'user de votre influence en ma faveur ?

NORA. Comment ? Que voulez-vous dire ?

KROGSTAD. Auriez-vous l'obligeance de faire en sorte que
je conserve ma place d'employé à la banque ?

NORA. Qu'est-ce que cela veut dire ? Qui aurait l'intention
de vous faire perdre votre place ?

KROGSTAD. Oh ! ne faites pas semblant de ne rien savoir.
951 Je comprends bien que la perspective de se retrouver
face à face avec moi n'a rien d'agréable pour votre amie ;
et je comprends maintenant aussi à qui je dois ma mise
à la porte.

NORA. Mais je vous assure...

KROGSTAD. A d'autres ! Je n'insisterai pas plus : il est
encore temps, et je vous conseille d'user de votre influence
pour empêcher que cela se fasse.

NORA. Mais, Monsieur Krogstad, je n'ai vraiment absolu-
960 ment aucune influence.

KROGSTAD. Vraiment ? Je croyais vous avoir entendue
dire il y a un instant...

NORA. Ce n'est pas cela que j'ai voulu dire, bien sûr. Moi !
Comment pouvez-vous penser que je puisse avoir une
telle influence sur mon mari !

KROGSTAD. Oh ! je connais votre mari depuis l'époque
où nous avons fait nos études ensemble. Je ne pense pas
que monsieur le Directeur de banque soit plus ferme que
d'autres hommes mariés.

NORA. Si vous parlez de mon mari sur un ton désobligeant,
971 je vous mets à la porte.

KROGSTAD. Madame a du courage.

NORA. Je n'ai plus peur de vous. Une fois le Nouvel An
passé, toute cette affaire sera vite réglée.

KROGSTAD, *davantage maître de lui.* Écoutez, madame.
Si besoin est, je suis prêt à employer tous les moyens,
même les plus désespérés, pour conserver ma modeste
place à la banque.

NORA. C'est bien l'impression que vous donnez.

KROGSTAD. Ce n'est pas uniquement à cause du revenu ;
981 c'est même ce qui m'intéresse le moins. Mais il y a autre

chose... Tant pis, je vais vous le dire ! Voilà de quoi il
s'agit, madame. Vous savez comme tout le monde, bien
sûr, qu'il y a plusieurs années, j'ai commis un acte
irréfléchi.

NORA. Je crois avoir entendu parler d'une chose de ce
genre.

KROGSTAD. Aucun tribunal n'a été saisi ; mais j'ai vu
tout d'un coup toutes les portes se fermer devant mon
990 nez. Et c'est ainsi que je me suis lancé dans les affaires
que vous savez. Il fallait bien que je trouve une solution ;
et je peux dire que d'autres ont fait bien pire que moi.
Mais maintenant, il faut que je me sorte de là. Mes fils
grandissent ; si je veux assurer leur avenir, il faut absolument que je me réhabilite aux yeux de tous le plus
possible. Cette place à la banque était pour moi le
premier échelon à gravir. Et maintenant, voilà que votre
mari veut me faire tomber de l'échelle, pour que je me
retrouve encore une fois dans la boue.

NORA. Mais, juste Ciel, Monsieur Krogstad, il n'est pas du
1001 tout en mon pouvoir de vous aider.

KROGSTAD. C'est la volonté qui vous manque ; mais j'ai
des moyens pour exercer une pression sur vous.

NORA. Vous n'avez tout de même pas l'intention de dire à
mon mari que je vous dois de l'argent ?

KROGSTAD. Hum, et si je le lui disais ?

NORA. Ce serait honteux de votre part. *(Avec des sanglots
dans la voix.)* Ce secret qui est ma joie et ma fierté, il le
découvrirait d'une manière aussi laide et aussi mala-
1010 droite... et ce serait vous qui le mettriez au courant.
Vous allez m'attirer les plus terribles désagréments...

KROGSTAD. Uniquement des désagréments ?

NORA, *elle s'emporte.* Mais vous n'avez qu'à le faire ; c'est
vous qui aurez le plus à en pâtir ; car cela permettra à

mon mari de savoir quel triste individu vous êtes, et vous pouvez être sûr que vous ne garderez pas votre place.

KROGSTAD. Je vous ai demandé si c'étaient uniquement des désagréments d'ordre familial qui vous faisaient 1020 peur ?

NORA. Si mon mari vient à apprendre la chose, il va de soi qu'il voudra payer le reste de la dette ; et comme cela, nous n'aurons plus rien à voir avec vous.

KROGSTAD *fait un pas vers elle.* Écoutez, Madame Helmer... de deux choses l'une : ou bien vous avez la mémoire courte, ou bien vous vous y connaissez mal en affaires. Il faut sans doute que je vous explique un peu mieux les choses.

NORA. Comment cela ?

KROGSTAD. Quand votre mari était malade, vous êtes 1031 venue m'emprunter douze cents rixdales.

NORA. Je ne connaissais personne d'autre.

KROGSTAD. Je vous ai alors promis de vous procurer la somme...

NORA. Et vous me l'avez effectivement procurée.

KROGSTAD. Je vous ai promis de vous procurer la somme à certaines conditions. A l'époque, vous étiez tellement préoccupée par la maladie de votre mari, et tellement pressée de trouver l'argent du voyage, que je crois que 1040 vous n'avez guère fait attention à tous les détails. C'est pourquoi il n'est pas inutile que je vous rappelle tout cela. Eh bien, j'ai promis de vous procurer l'argent contre une reconnaissance de dette que j'ai rédigée moi-même.

NORA. Oui, et je l'ai signée.

KROGSTAD. Bien. Mais j'ai ajouté en bas de page quelques
lignes qui attestaient que votre père se portait garant de
la dette. Ces lignes, votre père devait les signer.

NORA. Devait... ? Il les a bel et bien signées.

KROGSTAD. J'avais laissé la date en blanc ; cela signifie
1050 que votre père devait lui-même mentionner le jour où il
signerait le document. Madame s'en souvient-elle ?

NORA. Oui, je crois bien...

KROGSTAD. Je vous ai remis la reconnaissance de dette,
pour que vous puissiez l'envoyer par la poste à votre
père. C'est bien ainsi que les choses se sont passées,
n'est-ce pas ?

NORA. Oui.

KROGSTAD. Et c'est ce que vous avez fait immédiatement,
bien sûr ; puisque déjà cinq ou six jours plus tard, vous
1060 m'avez apporté le papier avec la signature de votre père.
Et la somme vous a alors été payée.

NORA. Eh bien, est-ce que je ne vous ai pas remboursé
régulièrement ?

KROGSTAD. A peu près, en effet. Mais... pour revenir au
sujet de notre conversation... vous avez certainement
connu des moments difficiles à cette époque-là, madame ?

NORA. Oui, tout à fait.

KROGSTAD. Votre père était très malade, je crois.

NORA. Il était à l'article de la mort.

KROGSTAD. N'est-il pas mort peu après ?

NORA. Si.

KROGSTAD. Dites-moi, Madame Helmer, vous souvenez-
1073 vous par hasard du jour de la mort de votre père ? Je
veux dire, de la date exacte.

NORA. Papa est mort le 29 septembre.

KROGSTAD. C'est tout à fait juste ; je me suis renseigné. Et voilà pourquoi il y a quelque chose d'étrange *(il tire un papier de sa poche)* que je n'arrive pas du tout à m'expliquer.

NORA. Qu'y a-t-il d'étrange ? Je ne sais pas...

KROGSTAD. Ce qui est étrange, madame, c'est que votre
1082 père a signé cette reconnaissance de dette trois jours après sa mort.

NORA. Comment ? Je ne comprends pas...

KROGSTAD. Votre père est mort le 29 septembre. Mais regardez donc. Votre père a daté sa signature du 2 octobre. N'est-ce pas étrange, madame ?

NORA, *elle se tait.*

KROGSTAD. Pouvez-vous m'expliquer cela ?

NORA, *elle continue à se taire.*

KROGSTAD. Il y a un autre détail qui est frappant : c'est
1092 que les mots « 2 octobre » et l'année ne sont pas de la main de votre père, mais d'une main que je crois connaître. Enfin, cela peut s'expliquer ; votre père peut avoir oublié de dater sa signature, et une tierce personne peut avoir mis une date approximative, avant d'avoir appris la nouvelle de sa mort. Il n'y a rien de mal à cela. Ce qui compte, c'est la signature elle-même. Et elle est authentique, n'est-ce pas, Madame Helmer ? C'est bien
1100 votre père qui a inscrit lui-même son nom ici ?

NORA, *après un court silence, elle redresse soudain la tête et le regarde d'un air provocateur.* Non, ce n'est pas lui. C'est moi qui ai écrit le nom de papa.

KROGSTAD. Écoutez, madame... savez-vous que vous venez de faire un aveu dangereux ?

NORA. Pourquoi donc ? Vous allez bientôt avoir votre argent.

KROGSTAD. Vous me permettrez de vous poser une
   question... pourquoi n'avez-vous pas envoyé le papier à
   1110 votre père ?

NORA. C'était impossible. Papa était malade. Si je lui avais
   demandé de signer, j'aurais été obligée de lui dire à quoi
   cet argent était destiné. Mais je ne pouvais tout de même
   pas lui dire, malade comme il était, que la vie de mon
   mari était en danger. C'était impossible.

KROGSTAD. Dans ces conditions, vous auriez mieux fait
   de renoncer à ce voyage à l'étranger.

NORA. Non, c'était impossible. Ce voyage devait sauver la
   vie de mon mari. Je ne pouvais pas y renoncer.

KROGSTAD. Mais vous n'avez pas pensé que c'était un
   1121 abus de confiance à mon égard... ?

NORA. Je ne pouvais absolument pas tenir compte de cela.
   Vous ne m'intéressiez pas du tout. Je vous trouvais
   insupportable à cause de toutes les difficultés que vous
   me faisiez, alors que vous saviez très bien que mon mari
   était dans un état critique.

KROGSTAD. Madame Helmer, on voit nettement que
   vous ne vous rendez pas très bien compte de la faute
   dont vous vous êtes rendue coupable. Mais je peux vous
   1130 dire que celle que j'ai commise jadis, et qui m'a coûté
   ma position sociale, n'était ni pire, ni plus grave.

NORA. Vous ? Voulez-vous me faire croire que vous avez
   fait quelque chose de courageux pour sauver la vie de
   votre femme ?

KROGSTAD. Les lois ne se préoccupent pas des mobiles.

NORA. Eh bien, dans ce cas-là, ce sont de bien mauvaises
   lois.

KROGSTAD. Mauvaises ou pas... si je montre ce papier à
   la justice, vous serez jugée selon les lois.

NORA. Je n'en crois pas un mot. Une fille n'aurait pas le
1141 droit d'épargner des frayeurs et des soucis à son vieux
père mourant ? Une femme n'aurait pas le droit de
sauver la vie de son mari ? Je ne connais pas très bien
les lois ; mais je suis sûre qu'elles contiennent un passage
où il est dit que ces choses-là sont permises. Et vous ne
le savez pas, vous qui êtes avoué ? Vous êtes certainement un mauvais juriste, monsieur Krogstad.

KROGSTAD. Cela se peut. Mais pour ce qui est des
affaires... le genre d'affaires qui nous lie tous les deux...
1150 vous admettrez sans doute que je m'y connais ? Bon.
Faites comme bon vous semble. Mais je vous signale
une chose : si je suis mis à l'index une seconde fois, vous
me tiendrez compagnie.

Il salue et sort par le vestibule.

NORA *reste un instant pensive, puis redresse brusquement
la tête.* Tout de même !... Vouloir me faire peur ! Je ne
suis pas naïve à ce point-là. *(Elle se met à rassembler les
vêtements des enfants ; puis s'arrête.)* Mais... ? ... Non,
voyons, c'est impossible ! Puisque c'est par amour que je
l'ai fait.

LES ENFANTS, *sur le seuil de la porte de gauche.* Maman,
1161 le monsieur étranger vient de sortir de la maison.

NORA. Oui, oui, je le sais. Mais ne parlez à personne du
monsieur étranger. Vous entendez ? Même pas à papa !

LES ENFANTS. Non, maman ; mais tu veux bien recommencer à jouer maintenant ?

NORA. Non, non : pas maintenant.

LES ENFANTS. Mais, maman, tu l'avais promis.

NORA. Oui, mais je ne peux pas maintenant. Allez donc
dans la pièce d'à côté ; j'ai beaucoup à faire. Allez à
1170 côté ; allez à côté, mes petits chéris.

Elle les pousse doucement dans la pièce attenante, et ferme la porte derrière eux.

NORA *s'assied sur le canapé, prend un ouvrage de broderie, fait quelques points, mais s'arrête bientôt.* Non ! *(Elle jette sa broderie, se lève, va dans le vestibule et appelle :)* Hélène ! Apporte-moi donc l'arbre ! *(Elle s'approche de la table de gauche et ouvre le tiroir ; s'arrête de nouveau.)* Non, mais c'est tout à fait impossible !

LA BONNE, *elle apporte le sapin.* Où voulez-vous que je le mette, madame ?

NORA. Ici, au milieu de la pièce.

LA BONNE. Voulez-vous que j'aille chercher autre chose ?

NORA. Non, merci. J'ai ce qu'il faut.

La bonne a mis le sapin à sa place ; elle sort.

NORA, *en train de décorer l'arbre de Noël.* Ici, il faut mettre des bougies... et ici, des fleurs. — Quel sinistre individu ! Il raconte des histoires, rien que des histoires ! Il n'y a rien à craindre. Le sapin de Noël va être ravissant. Je ferai tout ce qui te plaira, Torvald ; ...je chanterai pour toi, je danserai pour toi...

Helmer arrive du dehors, un paquet de documents sous le bras.

NORA. Ah !... tu reviens déjà ?

HELMER. Oui. Est-il venu quelqu'un ?

NORA. Ici ? Non.

HELMER. C'est étrange. J'ai vu Krogstad sortir de la maison.

NORA. Ah bon ? Mais oui, c'est vrai. Krogstad est passé très rapidement ici.

HELMER. Nora, je vois sur ta figure qu'il a été ici, et qu'il t'a demandé de plaider en sa faveur.

NORA. C'est vrai.

HELMER. Et il fallait que tu fasses comme si cela venait de toi ? Tu ne devais pas me dire qu'il avait été ici. Est-1200 ce qu'il ne t'a pas demandé cela aussi ?

NORA. Si, Torvald ; mais...

HELMER. Nora, Nora, et tu voulais te prêter à ce jeu ? Engager une conversation avec un individu comme lui, et lui faire une promesse ! Et par-dessus le marché me raconter un mensonge !

NORA. Un mensonge... !

HELMER. N'as-tu pas dit que personne n'était venu ? *(Il la menace du doigt.)* Mon petit oiseau chanteur ne doit plus jamais recommencer. Un oiseau chanteur doit avoir le 1210 bec propre quand il gazouille. Jamais de fausses notes. *(Il la prend par la taille.)* Tu ne crois pas que j'ai raison ? Si, je le savais bien. *(Il la lâche.)* Maintenant, n'en parlons plus. *(Il s'assied devant le poêle.)* Ah ! comme il fait bon ici, comme on se sent bien.

   Il feuillette un peu ses papiers.

NORA, *elle s'occupe de l'arbre de Noël, s'interrompt un instant.* Torvald !

HELMER. Oui.

NORA. Je suis extrêmement contente que nous allions au 1219 bal costumé chez les Stenborg, après-demain.

HELMER. Et moi, je suis extrêmement curieux de voir quelle surprise tu vas me faire.

NORA. Oh ! ne me parle pas de cela.

HELMER. Pourquoi ?

NORA. Je n'arrive pas à trouver d'idée valable ; tout me semble tellement stupide et banal.

HELMER. Notre petite Nora a-t-elle découvert cela ?

NORA, *derrière son fauteuil, accoudée au dossier.* As-tu
1228 beaucoup de travail, Torvald ?

HELMER. Oh !...

NORA. Quels sont ces papiers ?

HELMER. Ils concernent la banque.

NORA. Déjà ?

HELMER. J'ai fait en sorte que l'ancienne direction me
donne les pleins pouvoirs pour procéder aux modifica-
tions nécessaires dans le personnel et le planning. Je vais
consacrer la semaine de Noël à ce travail. Je veux que
tout soit prêt pour le Premier de l'An.

NORA. C'est donc pour cela que ce pauvre Krogstad...

HELMER. Hum.

NORA, *toujours accoudée au dossier du fauteuil, lui passe*
1241 *doucement la main dans les cheveux.* Si tu n'avais pas
eu autant de travail, je t'aurais demandé de me rendre
un immense service, Torvald.

HELMER. Dis toujours. De quoi s'agit-il ?

NORA. Personne n'a un goût aussi délicat que toi. Et je
voudrais tellement faire bonne figure au bal costumé.
Torvald, tu ne pourrais pas t'occuper de moi, décider ce
que je dois mettre, et me dire comment arranger mon
costume ?

HELMER. Ah ! ah ! notre petite entêtée serait-elle à la
1251 recherche d'un sauveur ?

NORA. Oui, Torvald, je ne m'en sortirai jamais si tu ne
m'aides pas.

HELMER. Bon, bon ; je vais réfléchir à la question. Nous
finirons bien par trouver une solution.

NORA. Oh ! comme c'est gentil de ta part. *(Elle retourne
auprès de l'arbre de Noël ; s'arrête.)* Comme elles sont

belles, ces fleurs rouges. ... Mais, dis-moi, est-ce vraiment si grave, ce que ce Krogstad a fait ?

HELMER. Des faux en écriture. Tu sais ce que cela veut
1261 dire ?

NORA. Il a peut-être fait cela par nécessité ?

HELMER. Oui, ou par irréflexion, comme tant d'autres. Je ne suis pas cruel au point de condamner irrémédiablement un homme à cause d'un acte de ce genre qui ne s'est jamais reproduit par la suite.

NORA. N'est-ce pas, Torvald ?

HELMER. Bien des gens peuvent se relever moralement s'ils confessent ouvertement leur faute et s'ils subissent
1270 leur peine.

NORA. Leur peine... ?

HELMER. Mais ce n'est pas cette voie-là que Krogstad a suivie. Il a eu recours à des combines et à des expédients, et c'est cela qui a amené sa déchéance morale.

NORA. Tu crois que... ?

HELMER. Imagine un peu comment un individu qui se sait coupable, comme lui, est sans cesse obligé de mentir, de faire l'hypocrite et de donner le change, de porter un
1280 masque jusque dans sa famille, devant sa propre femme et ses propres enfants. Et ce contact avec les enfants, c'est ce qu'il y a de plus terrible, Nora.

NORA. Pourquoi ?

HELMER. Parce qu'une atmosphère de mensonge comme celle-là amène la contagion, et qu'elle introduit des microbes dans la vie de toute la famille. Chaque bouffée d'air que les enfants respirent dans une maison pareille contient en germe des tas de choses laides.

NORA *se rapproche de lui par-derrière.* En es-tu sûr ?

HELMER. Oh ! si tu savais, j'ai eu suffisamment l'occasion
1291 de m'en rendre compte comme avocat. Presque tous
ceux qui ont mené de bonne heure une existence dépra-
vée ont eu une mère qui mentait.

NORA. Pourquoi justement... les mères ?

HELMER. Cela vient la plupart du temps des mères ; mais
l'influence des pères va aussi dans le même sens, bien
sûr. N'importe quel avoué sait cela très bien. Et pourtant,
ce Krogstad a empoisonné ses propres enfants pendant
des années, par ses mensonges et sa dissimulation. C'est
1300 pour cela que je dis qu'il est corrompu au point de vue
moral. *(Il tend les mains vers elle.)* C'est pourquoi ma
gentille petite Nora doit me promettre de ne pas prendre
sa défense. Donne-moi ta parole. Eh bien, qu'y a-t-il ?
Tends-moi la main. Voilà. C'est décidé. Je t'assure qu'il
me serait impossible de travailler avec lui. J'ai littéralement un sentiment de malaise physique quand je suis à
côté de ce genre de personnes.

NORA, *elle retire sa main et va se placer de l'autre côté de
l'arbre de Noël.* Comme il fait chaud, ici. Et j'ai tellement
1310 à faire.

HELMER *se lève et rassemble ses papiers.* Allons, il faut
aussi que je prenne le temps de parcourir ces papiers
avant le repas. Puis je vais aussi réfléchir à ton costume.
Et qui sait ? Je suis peut-être en train de préparer quelque
chose à accrocher au sapin dans du papier doré. *(Il lui
pose la main sur la tête.)* Oh ! mon cher petit oiseau
chanteur !

Il entre dans son bureau et ferme la porte derrière lui.

NORA, *à voix basse, après un moment de silence.* Allons !
Il y a erreur. C'est impossible. Il faut absolument que ce
1320 soit impossible.

LA NURSE, *sur le seuil de la porte de gauche.* Les petits demandent si gentiment s'ils peuvent entrer voir maman.

NORA. Non, non, non. Ne les laisse pas venir me voir ! Reste avec eux, Anne-Marie.

LA NURSE. Très bien, Madame.

Elle ferme la porte.

NORA, *pâle d'épouvante.* Corrompre mes petits enfants... ! Empoisonner la maison ? *(Court silence ; elle redresse la tête.)* Ce n'est pas vrai. Il n'y a pas la moindre parcelle de vérité là-dedans.

Acte II

Le même salon. L'arbre de Noël se trouve dans un coin, près du piano. On lui a ôté sa décoration, il est en assez piteux état, et il ne reste plus que des bouts de bougies. Le manteau de Nora traîne sur le canapé.

Nora est seule dans la pièce, elle va et vient nerveusement ; elle s'arrête finalement devant le canapé et prend son manteau.

NORA, *elle laisse tomber son manteau.* Quelqu'un vient d'arriver ! *(Elle s'approche de la porte, prête l'oreille.)* Non... il n'y a personne. Mais bien sûr... il ne viendra personne aujourd'hui, c'est le jour de Noël ; ...demain non plus, d'ailleurs... mais peut-être... *(Elle ouvre la porte et jette un coup d'œil dans le vestibule.)* Non, il n'y a rien dans la boîte aux lettres ; elle est complètement vide. *(Elle traverse la pièce.)* Oh, c'est stupide ! Il n'en fera rien, bien sûr. C'est impossible qu'il m'arrive une chose pareille. Impossible. J'ai trois enfants en bas âge, voyons.

La nurse sort de la pièce de gauche en portant un grand carton.

LA NURSE. J'ai tout de même fini par trouver le carton qui contient le costume.

NORA. Merci, mets-le sur la table.

LA NURSE, *elle obéit*. Mais il est sûrement tout en désordre.

NORA. Oh ! si seulement je pouvais le déchirer en mille morceaux !

LA NURSE. Mais pourquoi donc ? On peut très bien le remettre en état. Il suffit d'un peu de patience.

NORA. Tu as raison, je vais aller demander un coup de
21 main à Madame Linde.

LA NURSE. Ressortir ? Par ce mauvais temps ? Madame va prendre froid... et elle va tomber malade.

NORA. Il pourrait m'arriver pire que cela. Comment vont les enfants ?

LA NURSE. Ces pauvres petits sont en train de jouer avec leurs cadeaux de Noël, mais...

NORA. Est-ce qu'ils demandent souvent après moi ?

LA NURSE. Que voulez-vous, ils ont tellement l'habitude
30 d'être avec leur maman.

NORA. Tout de même, Anne-Marie, maintenant, je ne peux plus passer autant de temps avec eux que je l'ai fait jusqu'à présent.

LA NURSE. Enfin, les petits enfants s'habituent à tout.

NORA. Tu crois ? Tu crois qu'ils oublieraient totalement leur maman si elle n'était plus là du tout ?

LA NURSE. Mais que dites-vous ? ... plus là du tout !

NORA. Écoute, dis-moi, Anne-Marie... il y a une chose à laquelle j'ai souvent pensé... comment as-tu pu fermer
40 l'oreille à la voix de ton cœur et confier ton enfant à des étrangers ?

LA NURSE. Mais je ne pouvais pas faire autrement, puisque je devais être la nourrice de la petite Nora.

NORA. Oui, mais la décision est tout de même venue de toi. Tu n'as pas hésité ?

LA NURSE. Quand on me proposait une aussi bonne
place ? Une pauvre fille qui se retrouve dans le malheur
peut s'estimer heureuse, dans ces cas-là. Car méchant
49 comme il était, il n'a rien fait pour moi.

NORA. Mais ta fille t'a certainement oubliée ?

LA NURSE. Oh ! non, pas du tout. Elle m'a envoyé une
lettre au moment de sa première communion et après
son mariage.

NORA *la prend par le cou.* Ma bonne vieille Anne-Marie,
tu as été une bonne mère pour moi quand j'étais petite.

LA NURSE. Il faut dire que la pauvre petite Nora n'avait
pas d'autre mère que moi.

NORA. Et si les petits n'avaient personne d'autre, je sais
que tu serais disposée... Allons, arrêtons ces bavardages.
60 *(Elle ouvre le carton.)* Retourne auprès d'eux. Maintenant,
il faut que je... Demain, tu verras comme je serai belle.

LA NURSE. Oui, je suis certaine que Madame Nora sera la
plus belle de toutes à ce bal.

Elle entre dans la pièce de gauche.

NORA, *commence à sortir les affaires du carton ; mais se
désintéresse bientôt de tout cela.* Oh ! si seulement j'osais
sortir. Il faudrait que personne ne vienne. Il faudrait
qu'il ne se passe rien à la maison pendant ce temps-là.
Je dis des bêtises ; il ne viendra personne. Il ne faut
penser à rien. Brossons le manchon. De jolis gants, de
70 jolis gants. Repoussons ces pensées ; repoussons-les ! Un,
deux, trois, quatre, cinq, six... *(Elle crie.)* Ah ! les voilà...

Elle veut se diriger vers la porte, mais elle hésite.

*Madame Linde vient du vestibule où elle a déposé son
manteau.*

NORA. Oh ! c'est toi, Christine. Il n'y a personne d'autre
derrière la porte, je pense ? Comme cela me fait plaisir
que tu sois venue.

MADAME LINDE. On m'a dit que tu étais montée chez moi et que tu avais demandé après moi.

NORA. Oui, je passais justement par là. Il y a une chose pour laquelle j'ai absolument besoin de ton aide. Asseyons-nous ici sur le canapé. Voilà de quoi il s'agit. Un bal
80 costumé est prévu pour demain soir dans l'appartement au-dessus de chez nous, chez le Consul Stenborg, et Torvald veut que je me déguise en fille de pêcheur napolitain et que je danse la tarentelle. Je l'ai apprise à Capri.

MADAME LINDE. Ça alors! Tu vas donner toute une représentation?

NORA. Oui, Torvald y tient. Voilà d'ailleurs le costume. Torvald me l'a fait faire là-bas. Mais il est tout abîmé maintenant, et je ne sais pas du tout...

MADAME LINDE. Oh! nous aurons vite fait de le remettre
91 en état. C'est simplement la doublure qui s'est décousue à plusieurs endroits. Donne-moi une aiguille et du fil! Bon, nous avons tout ce qu'il nous faut.

NORA. Oh! comme c'est gentil de ta part.

MADAME LINDE, *elle coud.* Alors demain, tu vas te déguiser, Nora? Eh bien... je viendrai ici juste avant pour te voir dans ton costume. Mais j'ai complètement oublié de te dire combien j'ai apprécié la soirée agréable que nous avons passée ensemble hier.

NORA, *elle se lève et traverse la pièce.* Oh, je trouve qu'hier
101 soir, l'atmosphère n'était pas aussi agréable que d'habitude. ... Tu aurais dû venir en ville un peu plus tôt, Christine. ... Tu as raison, Torvald sait ce qu'il faut faire pour rendre notre foyer confortable et accueillant.

MADAME LINDE. Tu as autant de mérite que lui à cet égard, je pense. Ce n'est pas pour rien que tu es la fille

de ton père. Mais dis-moi, est-ce que le docteur Rank
est toujours aussi déprimé qu'il l'était hier ?

NORA. Non, hier, c'était particulièrement frappant. Il faut
110 dire aussi qu'il traîne une maladie très grave. Il a une
affection de la moelle épinière, le pauvre. Il faut que tu
saches que son père était un dégoûtant personnage, qui
avait des maîtresses, etc., et c'est pour cela que son fils a
eu une santé fragile dès son enfance, tu comprends.

MADAME LINDE *laisse tomber son ouvrage.* Mais, ma
chère Nora, comment se fait-il que tu sois au courant de
choses pareilles ?

NORA. Bah... quand on a trois enfants, on a de temps à
autre la visite de... de dames qui ont quelques connais-
120 sances médicales ; et elles vous expliquent certaines
choses.

MADAME LINDE *s'est remise à coudre ; court silence.* Est-
ce que le docteur Rank vient vous voir tous les jours ?

NORA. Tous les jours, sans exception. Il faut dire que c'est
le meilleur ami de jeunesse de Torvald, et moi aussi, je
me suis liée d'amitié avec lui. Le docteur Rank fait pour
ainsi dire partie de la maison.

MADAME LINDE. Mais dis-moi : est-ce que cet homme
est entièrement sincère ? Je veux dire : est-ce qu'il n'aime
130 pas faire des compliments aux gens ?

NORA. Non, au contraire. Pourquoi me demandes-tu cela ?

MADAME LINDE. Quand tu m'as présentée à lui, hier, il
a assuré qu'il avait souvent entendu mon nom dans cette
maison ; mais j'ai remarqué ensuite que ton mari ne
savait absolument pas qui j'étais. Dans ces conditions,
comment le docteur Rank a-t-il pu... ?

NORA. Si, c'est tout à fait juste, Christine. Torvald est
follement attaché à moi ; et c'est pour cela qu'il veut que

je sois à lui tout seul, comme il dit. Les premiers temps,
140 cela le rendait jaloux de m'entendre simplement citer
des noms de personnes parmi lesquelles j'ai grandi, et
qui me sont restées chères. Alors je n'ai pas continué,
bien sûr. Mais avec le docteur Rank, je parle souvent de
ce genre de choses ; parce qu'il aime bien que je l'entre-
tienne de cela, vois-tu ?

MADAME LINDE. Écoute, Nora, tu es encore une enfant
à beaucoup d'égards. Je suis nettement plus âgée que toi
et j'ai un peu plus d'expérience. Laisse-moi te dire une
chose : tu ferais bien de te sortir de cette affaire avec le
150 docteur Rank.

NORA. De quoi ferais-je bien de me sortir ?

MADAME LINDE. De plusieurs choses, à mon avis. Hier,
tu parlais d'un riche admirateur, qui était censé te
procurer de l'argent...

NORA. Oui, un admirateur qui n'existe pas... malheureusement. Et alors ?

MADAME LINDE. Est-ce que le docteur Rank a de la
158 fortune ?

NORA. Oui, certainement.

MADAME LINDE. Et il n'a personne à sa charge ?

NORA. Non, personne ; mais... ?

MADAME LINDE. Et il vient vous voir tous les jours ?

NORA. Oui, je viens de te le dire.

MADAME LINDE. Mais comment cet homme distingué
peut-il manquer à ce point de délicatesse ?

NORA. Je ne comprends pas du tout.

MADAME LINDE. Ne fais donc pas l'innocente, Nora.
Crois-tu que je ne comprends pas à qui tu as emprunté
les mille deux cents rixdales ?

NORA. Tu as perdu la tête ! Comment peux-tu penser des
171 choses pareilles ? Un de nos amis, qui vient ici tous les
jours ! Cela nous mettrait dans une situation extrêmement embarrassante !

MADAME LINDE. Alors ce n'est vraiment pas lui ?

NORA. Non, je t'assure. L'idée ne m'aurait même pas
effleurée... D'ailleurs, il n'avait pas d'argent à prêter à
l'époque ; ce n'est que plus tard qu'il a hérité.

MADAME LINDE. Eh bien, je trouve que le hasard a bien
fait les choses, ma chère Nora.

NORA. Non, jamais l'idée ne me viendrait de demander au
181 docteur Rank... Du reste, je suis tout à fait certaine que
si je lui demandais...

MADAME LINDE. Mais tu ne le feras pas, bien sûr.

NORA. Bien sûr que non. Je n'arrive pas à m'imaginer que
cela puisse être nécessaire. Mais je suis tout à fait certaine
que si je parlais au docteur Rank...

MADAME LINDE. Derrière le dos de ton mari ?

NORA. Il faut d'abord que je me sorte de l'autre affaire.
Celle-là aussi, je l'ai faite derrière son dos. Il faut
190 absolument que je m'en sorte.

MADAME LINDE. Oui, c'est bien ce que je disais hier ;
mais...

NORA, *elle va et vient dans la pièce.* Un homme se
débrouille beaucoup mieux qu'une femme pour ce genre
de choses...

MADAME LINDE. A condition que ce soit le mari.

NORA. Ne raconte pas d'histoires ! *(Elle s'arrête.)* Quand
on a remboursé tout ce qu'on devait, on récupère sa
199 reconnaissance de dette.

MADAME LINDE. Cela va de soi.

NORA. Et on peut le déchirer en cent mille morceaux et le brûler... ce sale papier répugnant !

MADAME LINDE, *elle la regarde fixement, dépose son ouvrage et se lève lentement.* Nora, tu me caches quelque chose.

NORA. Tu vois cela sur ma figure ?

MADAME LINDE. Il t'est arrivé quelque chose, depuis hier matin. Nora, de quoi s'agit-il ?

NORA, *se tournant vers elle.* Christine ! *(Elle prête l'oreille.)*
210 Chut ! Torvald vient de rentrer. Tiens, va t'installer dans la pièce où sont les enfants, en attendant. Torvald ne supporte pas de voir coudre. Demande à Anne-Marie de t'aider.

MADAME LINDE, *elle rassemble une partie des habits.* Bon, si tu veux, mais je ne sortirai pas d'ici avant que nous ayons eu un entretien à cœur ouvert.

Elle entre dans la pièce de gauche ; au même moment, Helmer ouvre la porte du vestibule et entre.

NORA, *en allant au-devant de lui.* Oh, comme j'étais impatiente de te revoir, mon cher Torvald.

HELMER. C'était la couturière... ?

NORA. Non, c'était Christine ; elle m'aide à remettre mon
221 costume en état. Tu peux être sûr que j'aurai de l'allure.

HELMER. Alors, tu ne trouves pas que j'ai eu une excellente idée ?

NORA. Superbe ! Mais tu ne trouves pas, toi, que je suis bien gentille de faire ce que tu demandes ?

HELMER, *il la prend par le menton.* Gentille... parce que tu fais ce que ton mari demande ? Allons, allons, petite folle, je sais bien que ce n'est pas cela que tu as voulu dire. Mais je ne veux pas te déranger. Je suppose que tu
230 en es à l'essayage.

NORA. Et toi, tu as sans doute du travail ?

HELMER. Oui. *(Il lui montre une pile de documents.)*
Regarde un peu. Je suis passé à la banque...

Il s'apprête à entrer dans son cabinet de travail.

NORA. Torvald.

HELMER, *il s'arrête.* Oui.

NORA. Et si ton petit écureuil te demandait quelque chose
très gentiment... ?

HELMER. Eh bien quoi ?

NORA. Est-ce que tu le ferais ?

HELMER. Il faut bien sûr que je sache d'abord de quoi il
241 s'agit.

NORA. L'écureuil courrait dans tous les sens et il ferait des
tas de choses amusantes, si tu étais gentil et docile.

HELMER. Allons, dis-le !

NORA. L'alouette remplirait de ses trilles toutes les pièces
de la maison...

HELMER. Oh ! tu sais, l'alouette le fait de toute façon.

NORA. Je jouerais à la sylphide et je danserais pour toi au
clair de lune, Torvald.

HELMER. Nora... il ne s'agit tout de même pas de la chose
251 dont tu parlais ce matin ?

NORA, *elle se rapproche.* Si, Torvald, je t'en supplie !

HELMER. Et tu as vraiment le courage de revenir encore
une fois là-dessus ?

NORA. Oui, oui, il faut que tu fasses ce que je te demande.
Il faut absolument permettre à Krogstad de conserver
son emploi à la banque.

HELMER. Ma chère Nora, j'ai réservé son emploi pour
Madame Linde.

NORA. C'est extrêmement gentil de ta part, bien sûr ; mais
261 tu n'as qu'à renvoyer un autre employé à la place de
Krogstad.

HELMER. C'est incroyable ce que tu es entêtée ! Parce que
tu ne réfléchis pas et que tu lui fais une promesse à la
légère, il faudrait que moi, je...

NORA. Ce n'est pas pour cela, Torvald. C'est par égard
pour toi. Cet individu écrit dans les journaux les plus
sales ; c'est toi-même qui l'as dit. Il peut te faire énormément de tort. J'ai une peur bleue de lui...

HELMER. Ah ! je comprends. Ce sont de vieux souvenirs
271 qui t'effraient.

NORA. Que veux-tu dire par là ?

HELMER. Tu penses évidemment à ton père.

NORA. Oui, oui, c'est bien cela. Rappelle-toi ce que des
gens mal intentionnés ont écrit dans les journaux sur le
compte de papa, et quelles ignobles calomnies ils ont
répandues sur lui. Je crois qu'ils seraient arrivés à le faire
relever de ses fonctions si le Ministère ne t'avait pas
envoyé vérifier, et si tu n'avais pas été aussi bien disposé
280 et aussi compréhensif à son égard.

HELMER. Ma petite Nora, il y a une différence notoire
entre ton père et moi. Ton père n'était pas un fonction-
naire irréprochable. Alors que moi, je le suis. Et j'espère
le rester aussi longtemps que j'aurai cette situation.

NORA. Oh ! on ne peut jamais savoir ce que des gens
méchants peuvent inventer. Tout pourrait tellement bien
aller maintenant, nous pourrions être tellement tran-
quilles et heureux, dans notre foyer paisible, à l'abri des
soucis... toi et moi, et les enfants, Torvald ! C'est pour
290 cela que je te supplie instamment...

HELMER. Et c'est justement parce que tu intercèdes pour lui que tu me mets dans l'impossibilité de le garder. On sait déjà à la banque que je veux renvoyer Krogstad. Si le bruit devait courir, maintenant, que le nouveau directeur de la banque s'est laissé influencer par sa femme et qu'il est revenu sur sa décision...

NORA. Eh bien quoi ?

HELMER. Ça ne fait rien, bien sûr ! Pourvu que notre petite entêtée arrive à ses fins... Il faudrait que j'accepte de me
300 rendre ridicule aux yeux de tout le personnel... que je fasse naître dans l'esprit des gens la pensée que je dépends de toutes sortes d'influences étrangères ? Eh bien, tu peux être sûre que je ne tarderais pas à en supporter les conséquences ! D'ailleurs... il y a une chose qui fait qu'il est absolument impossible que Krogstad reste à la banque aussi longtemps que je serai directeur.

NORA. Qu'est-ce que c'est ?

HELMER. J'aurais pu à la rigueur ne pas tenir compte de
309 sa tare morale...

NORA. N'est-ce pas, Torvald ?

HELMER. Et d'après ce qu'on me dit, il sait rendre des services appréciables. Mais nous nous connaissons depuis ma jeunesse. C'est l'une de ces connaissances que l'on fait sans réfléchir, et qui vous gênent si souvent plus tard dans la vie. Ah, autant le dire franchement : nous nous tutoyons. Et cet individu est tellement dépourvu de tact qu'il ne cherche aucunement à cacher la chose quand nous sommes avec d'autres personnes. C'est même tout le contraire... il croit que cela lui donne le droit d'user
320 d'un ton familier avec moi ; et il se gargarise à tout bout de champ de « dis donc, dis voir, Helmer ». Je t'assure que c'est extrêmement pénible pour moi. Il rendrait ma situation intenable à la banque.

NORA. Torvald, tu ne penses pas un mot de ce que tu viens de dire.

HELMER. Ah bon ? Et pourquoi ?

NORA. Parce que ce ne sont que des mesquineries.

HELMER. Que dis-tu ? Des mesquineries ? Tu trouves que je suis mesquin !

NORA. Non, au contraire, mon cher Torvald ; et c'est
331 justement pour cela...

HELMER. Peu importe. Tu trouves que les mobiles qui m'animent sont mesquins ; cela veut sans doute dire que je le suis aussi moi-même. Mesquin ! Voyez-vous cela !... Eh bien, nous allons remédier à la chose de façon radicale. *(Il va jusque dans le vestibule et appelle :)* Hélène !

NORA. Que veux-tu faire ?

HELMER, *il fouille dans ses papiers.* Prendre une décision.

La bonne entre.

HELMER. Tenez, prenez cette lettre. Descendez tout de
341 suite et demandez à un commissionnaire de s'en charger. Mais faites vite. L'adresse est indiquée dessus. Tenez, voilà de l'argent.

LA BONNE. Bien, Monsieur.

Elle part avec la lettre.

HELMER, *il rassemble ses papiers.* Voilà, ma petite dame têtue.

NORA, *anxieusement.* Torvald... qu'est-ce que c'était que cette lettre ?

HELMER. Le renvoi de Krogstad.

NORA. Fais-la revenir, Torvald ! Il est encore temps. Oh !
351 Torvald, fais-la revenir ! Fais cela à cause de moi... à

cause de toi, à cause des enfants ! Tu entends, Torvald ?
Je t'en prie ! Tu ne sais pas quelles conséquences cela
peut avoir pour nous.

HELMER. Trop tard.

NORA. Oui, trop tard.

HELMER. Ma chère Nora, je te pardonne la peur qui te
tenaille, bien qu'au fond, elle soit vexante pour moi. Si,
c'est vexant ! Ce n'est pas vexant, peut-être, de voir que
360 tu me crois capable d'avoir peur de la vengeance d'un
avocassier véreux ? Mais je te pardonne malgré tout,
parce que c'est un beau témoignage du grand amour que
tu as pour moi. *(Il la prend dans ses bras.)* C'est cela
qu'il faut, ma bien-aimée Nora. Et advienne que pourra.
Quand la situation l'exige, tu peux être sûr que j'ai le
courage et les forces nécessaires. Tu verras que je suis
homme à tout prendre sur moi.

NORA, *épouvantée.* Que veux-tu dire par là ?

HELMER. J'ai bien dit : tout...

NORA, *d'un air décidé.* Il n'en est absolument pas question.

HELMER. Bon, eh bien, nous partagerons... comme mari et
372 femme. C'est comme cela qu'il faut faire. *(Il lui fait une
caresse.)* Es-tu contente, maintenant ? Allons, allons, ne
fais pas ces yeux de colombe effarouchée. Tout ce que tu
t'imagines n'a absolument aucun fondement... Tu ferais
mieux de jouer la tarentelle et de t'exercer au tambourin.
Je vais m'installer dans mon bureau et je vais fermer la
porte, comme cela, je n'entendrai rien. Tu pourras faire
tout le bruit que tu voudras. *(Il se retourne une fois
380 arrivé à la porte.)* Et quand Rank arrivera, dis-lui où il
peut me trouver.

*Il lui fait un signe de tête, entre dans son cabinet de
travail avec ses documents, et ferme derrière lui.*

NORA, *bouleversée par la peur, comme clouée sur place, parle à voix basse.* Il est capable de le faire. Il va le faire. Il va le faire, envers et contre tout... Non, jamais de la vie ! Tout, mais pas cela ! Du secours... ! Une solution... *(On sonne dans le vestibule.)* Le docteur Rank... ! Tout, mais pas cela ! Tout, absolument tout, mais surtout pas cela !

Elle se passe la main sur le visage, se ressaisit, et va ouvrir la porte qui donne dans le vestibule. Le docteur Rank est en train de suspendre son manteau de fourrure. La scène suivante se passe au moment où la nuit commence à tomber.

NORA. Bonjour, docteur Rank. Je vous ai reconnu à votre
390 façon de sonner. Vous ne pouvez pas aller voir Torvald pour l'instant : je crois qu'il a quelque chose à faire.

RANK. Et vous ?

NORA, *pendant qu'il entre dans le salon et qu'elle ferme la porte derrière lui.* Oh ! vous le savez bien... quand c'est vous, j'ai toujours un moment de libre.

RANK. Je vous en remercie. Je veux en profiter aussi longtemps que je le pourrai.

NORA. Que voulez-vous dire par là ? Aussi longtemps que
399 vous le pourrez ?

RANK. Oui. Est-ce que cela vous effraie ?

NORA. Je trouve que c'est une bien curieuse expression. Va-t-il se produire quelque chose ?

RANK. Il va se produire ce que j'ai prévu depuis longtemps. Mais je ne pensais pourtant pas que cela viendrait si vite.

NORA, *elle lui prend le bras.* Quelle nouvelle avez-vous apprise ? Docteur Rank, il faut que vous me le disiez !

RANK, *il s'assied près du poêle*. Ma santé se dégrade. On
409 ne peut rien y faire.

NORA, *soulagée*. C'est de vous qu'il s'agit... ?

RANK. De qui d'autre pourrait-il s'agir ? Cela ne sert à rien
de se mentir à soi-même. De tous mes malades, c'est
moi qui suis dans l'état le plus pitoyable, Madame
Helmer. Ces derniers jours, j'ai fait un bilan complet du
fonctionnement de mon organisme. C'est la banqueroute.
Avant un mois, je serai peut-être déjà en train de pourrir
au cimetière.

NORA. Allons donc, que c'est laid ce que vous dites !

RANK. Il faut dire que la chose est en elle-même bigrement
420 laide. Mais le pire, c'est qu'il va m'arriver d'abord une
quantité d'autres choses laides. Il ne me reste plus qu'un
examen à faire. Quand il sera terminé, je saurai à peu
près à quel moment le dénouement commencera. J'ai
quelque chose à vous dire. Avec son naturel délicat,
Helmer éprouve un net sentiment de répulsion envers
tout ce qui n'est pas beau à voir. Je ne veux pas qu'il
vienne à mon chevet...

NORA. Mais voyons, docteur Rank...

RANK. Je ne veux pas qu'il vienne à ce moment-là. A
430 aucun prix. Ma porte lui sera fermée... Dès que je serai
tout à fait sûr que le pire m'attend, je vous enverrai ma
carte de visite sur laquelle j'aurai dessiné une croix noire,
et vous saurez alors que l'abomination de la désolation
aura commencé.

NORA. Eh bien, aujourd'hui, vous êtes vraiment insupportable. Et moi qui voudrais tellement que vous soyez
franchement de bonne humeur.

RANK. Quand la mort est à la porte ?... Et qu'il faut payer
à la place d'un autre ? Est-ce que c'est juste ? Et dans

440 chaque famille, cette loi implacable de l'expiation agit d'une manière ou d'une autre...

NORA, *elle se bouche les oreilles.* Arrêtez avec vos histoires ! Soyons gais ! Soyons gais !

RANK. Vous avez raison, il y a vraiment de quoi rire. Ma pauvre colonne vertébrale a beau n'y être pour rien, elle est bien obligée de souffrir à cause de la joyeuse vie que mon père a menée quand il était lieutenant.

NORA, *elle se trouve près de la table de gauche.* C'est vrai 449 qu'il raffolait d'asperges et de foie gras. N'est-ce pas ?

RANK. Oui, et de truffes.

NORA. Oui, de truffes, en effet. Et d'huîtres aussi, je crois ?

RANK. Oui, d'huîtres, d'huîtres, cela va de soi.

NORA. Et puis tout ce porto et ce champagne. C'est bien dommage que toutes ces bonnes choses s'en prennent à la colonne vertébrale.

RANK. Surtout qu'elles s'en prennent à une malheureuse colonne vertébrale qui n'en a pas profité le moins du 458 monde.

NORA. Eh oui, c'est bien cela le plus triste.

RANK, *il porte sur elle un regard inquisiteur.* Hum...

NORA, *un peu après.* Pourquoi avez-vous souri ?

RANK. Non, c'est vous qui avez ri.

NORA. Non, c'est vous qui avez souri, docteur Rank !

RANK, *il se lève.* Vous êtes sans doute plus espiègle que je ne le pensais.

NORA. J'ai follement envie de m'amuser, aujourd'hui.

RANK. Vous en avez tout l'air.

NORA, *elle pose les deux mains sur ses épaules.* Mon très cher docteur Rank, il ne faut pas que vous mouriez, il 470 ne faut pas que vous nous quittiez, Torvald et moi.

RANK. Vous auriez certainement vite fait de vous consoler.
Celui qui part est vite oublié.

NORA. *elle le regarde d'un air inquiet.* Vous croyez ?

RANK. On se lie avec d'autres personnes, et on...

NORA. Qui se lie avec d'autres personnes ?

RANK. Vous et Helmer, vous trouverez d'autres amis,
quand je ne serai plus là. Quant à vous, vous avez déjà
commencé, me semble-t-il. Que venait faire cette
479 Madame Linde ici hier soir ?

NORA. Ah ! ah !... vous n'êtes tout de même pas jaloux de
cette pauvre Christine ?

RANK. Si, justement. C'est elle qui sera mon successeur
dans cette maison. Quand je ne serai plus là, peut-être
que cette femme...

NORA. Chut ! Ne parlez pas si fort, elle est à côté.

RANK. Aujourd'hui aussi ? Vous voyez.

NORA. C'est seulement pour arranger mon costume. Mon
Dieu, vous êtes vraiment impossible. *(Elle s'assied sur le
canapé.)* Soyez gentil maintenant, docteur Rank. Demain,
490 vous verrez comme je danserai bien ; et vous n'aurez
qu'à penser que je le fais uniquement pour vous... et
aussi pour Torvald, bien sûr... cela va de soi. *(Elle sort
plusieurs effets du carton.)* Docteur Rank, asseyez-vous
ici, je vais vous montrer quelque chose.

RANK, *il s'assied.* Qu'est-ce que c'est ?

NORA. Tenez. Regardez !

RANK. Des bas de soie.

NORA. Couleur chair. Ils sont jolis, non ? C'est vrai qu'il
fait sombre ici maintenant ; mais demain... Non, non,
500 non ! Je ne vous montre que le pied. Oh ! après tout,
vous pouvez aussi voir plus haut pendant que vous y
êtes.

RANK. Hum...

NORA. Pourquoi prenez-vous cet air sceptique ? Vous pensez peut-être qu'ils ne me vont pas ?

RANK. Je ne dispose pas des éléments nécessaires pour me prononcer.

NORA, *elle le fixe pendant un instant.* Allons, vous devriez avoir honte. *(Elle lui donne un léger coup sur l'oreille* 510 *avec les bas.)* Voilà ce que vous méritez.

Elle les range dans le carton.

RANK. Et quelles sont les autres splendeurs que vous vouliez me montrer ?

NORA. Vous ne verrez plus rien du tout, puisque vous n'êtes pas sage.

Elle chantonne un peu et cherche parmi les pièces du costume.

RANK, *après un court silence.* Quand je suis là avec vous en toute simplicité, je n'arrive pas à imaginer... — non, je ne saurais vraiment pas dire — ce que je serais devenu si je n'avais jamais connu cette maison.

NORA, *elle sourit.* C'est vrai, je crois que, au fond, vous 520 vous plaisez bien chez nous.

RANK, *en baissant la voix et en regardant droit devant lui.* Et dire qu'il faut quitter tout cela...

NORA. Ne racontez donc pas d'histoires ! Vous n'avez rien à quitter.

RANK, *il garde la même attitude.* ... sans même pouvoir laisser la moindre trace de reconnaissance ; à peine un regret de courte durée... rien d'autre qu'une place vide 528 qui pourra être occupée par le premier venu.

NORA. Et si je vous demandais... ? Non...

RANK. Si vous me demandiez quoi ?

NORA. Une grande preuve d'amitié...

RANK. Oui, eh bien ?

NORA. Non, je veux dire... un immense service...

RANK. Est-ce à dire que vous seriez prête pour une fois à me combler de bonheur ?

NORA. Oh ! vous ne savez pas du tout de quoi il s'agit.

RANK. C'est vrai. Eh bien, dites-le.

NORA. Non, je ne peux vraiment pas, docteur Rank. C'est quelque chose de démesurément grand... c'est à la fois
540 un conseil, une aide et un service...

RANK. Tant mieux. Je n'ai aucune idée de ce que cela peut être. Mais dites-le donc. Vous ne me faites pas confiance ?

NORA. Si, à vous plus qu'à quiconque. Vous êtes mon ami le plus fidèle, mon meilleur ami, vous le savez bien. C'est d'ailleurs pourquoi je vais vous le dire. Eh bien voilà, docteur Rank : j'ai besoin que vous m'aidiez à empêcher que quelque chose se produise. Vous savez combien Torvald m'aime tendrement, combien il est passionnément attaché à moi ; il n'hésiterait pas un seul
550 instant à sacrifier sa vie pour moi.

RANK, *en se penchant vers elle.* Nora... croyez-vous qu'il n'y a que lui... ?

NORA, *elle sursaute légèrement.* Que lui qui... ?

RANK. Qui soit tout disposé à sacrifier sa vie pour vous.

NORA, *tristement.* Ah ! bon.

RANK. Je me suis juré qu'il fallait que vous le sachiez avant que je m'en aille. Je n'aurais jamais pu trouver une meilleure occasion. ... Voilà, Nora, maintenant, vous le savez. Et maintenant, vous savez aussi que vous
560 pouvez vous confier à moi comme à nul autre.

NORA, *elle se lève ; simplement et calmement.* Laissez-moi passer.

RANK, *il lui laisse la place ; mais il reste assis.* Nora...

NORA, *sur le seuil de la porte du vestibule.* Hélène, apporte la lampe... *(Elle se dirige vers le poêle.)* Ah ! cher docteur Rank, ce n'est vraiment pas beau de votre part.

RANK, *il se lève.* De vous avoir aimée aussi tendrement qu'il est possible de le faire ? Est-ce cela qui n'est pas beau ?

NORA. Non, c'est le fait de me l'avoir dit. Ce n'était
570 vraiment pas nécessaire...

RANK. Que voulez-vous dire ? Est-ce que vous saviez...?

La bonne entre avec la lampe, la met sur la table et sort.

RANK. Nora... Madame Helmer..., je vous pose la question : le saviez-vous ?

NORA. Oh ! est-ce que je sais si je le savais ou si je ne le savais pas ? Je ne peux vraiment pas vous le dire... Comment avez-vous pu être aussi maladroit, docteur Rank ! Tout allait si bien.

RANK. Eh bien, vous avez en tout cas la certitude que je suis à votre disposition, corps et âme. Dites-moi donc
580 tout.

NORA, *elle le regarde.* Après cela ?

RANK. Je vous en prie, dites-moi de quoi il s'agit.

NORA. Je ne peux rien vous dire, maintenant.

RANK. Si, si. Ne me punissez pas de cette façon-là. Permettez-moi de faire pour vous ce qui est humainement possible.

NORA. Maintenant, vous ne pouvez rien faire pour moi... D'ailleurs, je n'ai sans doute pas besoin d'aide. Vous verrez que ce sont simplement des choses que je m'ima-

590 gine. Mais bien sûr. C'est évident ! *(Elle s'assied dans le rocking-chair, le regarde en souriant.)* Eh oui, en voilà du joli, docteur Rank. Vous n'avez pas honte, maintenant qu'on a apporté la lampe ?

RANK. Non, à vrai dire. Mais je dois peut-être m'en aller... pour toujours ?

NORA. Non, n'en faites surtout rien. Vous allez naturellement continuer à venir nous voir comme auparavant. Vous savez bien que Torvald ne peut pas se passer de 599 vous.

RANK. Oui, mais qu'en est-il de vous ?

NORA. Oh ! je trouve que vous créez une atmosphère extrêmement agréable quand vous venez.

RANK. C'est justement cela qui m'a induit en erreur. Vous êtes une énigme pour moi. J'ai souvent eu l'impression que vous aimiez presque autant être avec moi qu'avec Helmer.

NORA. Oui, voyez-vous, il y a les personnes qu'on aime le plus, et celles dont on préfère presque la compagnie.

RANK. Oh ! oui, il y a du vrai là-dedans.

NORA. Quand j'étais à la maison, c'est papa que j'aimais 611 le plus, bien sûr. Mais je trouvais toujours que c'était prodigieusement amusant d'aller en cachette dans la chambre des bonnes, parce qu'elles ne me donnaient jamais de directives, et le ton sur lequel elles se parlaient était toujours très agréable.

RANK. Ah ! ah ! Ce sont donc elles que j'ai remplacées.

NORA, *elle se lève d'un bond et se dirige vers lui.* Oh ! voyons, cher ami, ce n'est pas du tout ce que j'ai voulu dire. Vous comprenez bien, par contre, que c'est la même 620 chose avec Torvald qu'avec papa...

La bonne vient du vestibule.

LA BONNE. Madame !

Elle lui parle à l'oreille et lui tend une carte.

NORA *jette un coup d'œil sur la carte.* Ah !

Elle la met dans sa poche.

RANK. Vous avez un ennui ?

NORA. Non, non, absolument pas. C'est simplement... c'est mon nouveau costume...

RANK. Comment cela ? Il est là, votre costume.

NORA. Oh ! oui, celui-là, mais il s'agit d'un autre. Je l'ai commandé... il ne faut pas que Torvald le sache...

RANK. Ah ! ah ! voilà donc quel était le grand secret.

NORA. Eh oui ! Allez voir mon mari. Il est dans son bureau. 631 Retenez-le pendant ce temps-là...

RANK. Soyez tranquille, je ne le lâcherai pas.

Il entre dans le cabinet de travail de Helmer.

NORA, *à la bonne.* Et il est en train d'attendre dans la cuisine ?

LA BONNE. Oui, il est monté par l'escalier de service...

NORA. Mais tu ne lui as pas dit que nous avions de la visite ?

LA BONNE. Si, mais il n'y a rien eu à faire.

NORA. Il ne veut pas repartir ?

LA BONNE. Non, il ne partira pas avant d'avoir parlé avec 641 Madame.

NORA. Bon, fais-le entrer, mais sans faire de bruit. Hélène, il ne faut le dire à personne ; c'est une surprise pour mon mari.

LA BONNE. Oui, oui, je comprends...

Elle sort.

NORA. L'épouvantable va se produire. Cela va se faire malgré tout. Non, non, non, cela ne peut pas se produire. Cela ne doit pas se produire.

Elle va fermer le verrou du bureau de Helmer.

La bonne ouvre la porte qui donne dans le vestibule, fait entrer l'avoué Krogstad et referme derrière lui. Il est vêtu d'un manteau de voyage, il a de grosses bottes et un bonnet de fourrure.

NORA, *s'adressant à lui.* Parlez à voix basse. Mon mari est
650 à la maison.

KROGSTAD. Ah ! bon... ça ne change rien.

NORA. Que me voulez-vous ?

KROGSTAD. Vous demander un renseignement.

NORA. Dépêchez-vous. De quoi s'agit-il ?

KROGSTAD. Vous savez sans doute que j'ai été mis à la porte.

NORA. Je n'ai pas pu l'empêcher, Monsieur Krogstad. J'ai lutté avec le dernier acharnement pour votre cause, mais cela n'a servi à rien.

KROGSTAD. Votre mari a-t-il si peu d'amour pour vous ?
661 Il sait les ennuis que je peux vous occasionner, et il ose malgré tout...

NORA. Comment pouvez-vous penser qu'il soit au courant ?

KROGSTAD. Oh ! non, je ne le pensais pas non plus. Cela ne ressemblerait pas du tout à mon brave Torvald Helmer de se comporter en homme et de faire preuve d'autant de courage...

NORA. Monsieur Krogstad, j'exige que vous ayez du respect pour mon mari.

KROGSTAD. Mais bien sûr, tout le respect qui lui est dû.
671 Mais comme madame veille jalousement à ce que ces

choses restent secrètes, il est sans doute permis de supposer que vous avez pu recueillir d'autres informations depuis hier, et que vous vous rendez un peu mieux compte de ce que vous avez fait ?

NORA. J'en sais plus que vous n'auriez pu m'apprendre.

KROGSTAD. Certainement, mauvais juriste comme je suis...

NORA. Que me voulez-vous ?

KROGSTAD. Je veux simplement prendre de vos nouvelles,
681 Madame Helmer. Je n'ai pas cessé de penser à vous de toute la journée. Un encaisseur, un avocassier, un... enfin, quelqu'un comme moi, sait malgré tout ce que c'est que d'avoir un peu de cœur, voyez-vous.

NORA. Eh bien, montrez-le. Pensez à mes petits enfants.

KROGSTAD. Est-ce que vous et votre mari, vous avez pensé aux miens ? Mais cela n'a pas d'importance. Je voulais simplement vous dire qu'il n'était pas nécessaire de prendre cette affaire trop au sérieux. Je n'ai pas
690 l'intention de porter plainte pour l'instant.

NORA. Oh ! non, n'est-ce pas ? C'est bien ce que je pensais.

KROGSTAD. Nous pouvons arranger tout cela à l'amiable. Il n'est pas nécessaire que cela se sache ; cela restera entre nous trois.

NORA. Il ne faut pas que mon mari sache quoi que ce soit de tout cela.

KROGSTAD. Comment voulez-vous l'en empêcher ? Êtes-vous donc en mesure de rembourser le reste de votre
699 dette ?

NORA. Non, pas tout de suite.

KROGSTAD. Ou bien, avez-vous trouvé le moyen de vous procurer de l'argent dans les tout prochains jours ?

NORA. Je n'ai pas trouvé de moyen que je veuille utiliser.

KROGSTAD. De toute façon, cela ne vous aurait servi à rien. Vous pourriez tenir dans la main tout l'argent comptant que vous voudriez, je ne vous rendrais pas votre lettre d'engagement.

NORA. Je voudrais bien que vous m'expliquiez comment vous comptez vous en servir.

KROGSTAD. Je veux simplement la garder... l'avoir tou-
711 jours en ma possession. Les personnes que cela ne regarde pas n'en auront pas connaissance. C'est pourquoi, si vous avez pris une décision ou une autre, sous l'empire du désespoir...

NORA. C'est bien ce que j'ai fait.

KROGSTAD. ... si vous envisagez de quitter le domicile conjugal...

NORA. Je l'envisage !

KROGSTAD. ... ou si vous pensez à quelque chose de pire
720 encore...

NORA. Comment pouvez-vous le savoir ?

KROGSTAD. ... eh bien, abandonnez tous ces projets.

NORA. Comment pouvez-vous savoir que je pense à cela ?

KROGSTAD. C'est à cela que pensent la plupart d'entre nous, au début. Moi aussi, j'y ai pensé. Mais je n'ai vraiment pas eu le courage...

NORA, *d'une voix éteinte.* Moi non plus.

KROGSTAD, *soulagé.* Non, n'est-ce pas, vous non plus,
729 vous n'en avez pas le courage ?

NORA. Non, vraiment pas.

KROGSTAD. D'ailleurs, vous feriez une grande bêtise. Une fois la première scène de ménage passée... J'ai dans ma poche une lettre pour votre mari...

NORA. Et tout y est expliqué?

KROGSTAD. Avec le maximum de ménagements.

NORA, *vivement*. Il ne faut pas qu'il reçoive cette lettre. Déchirez-la. Je vais tâcher de trouver de l'argent, malgré tout.

KROGSTAD. Je vous prie de m'excuser, madame, mais je 740 crois vous avoir dit récemment...

NORA. Oh! je ne parle pas de l'argent que je vous dois. Dites-moi la somme que vous exigez de mon mari, je vous donnerai l'argent.

KROGSTAD. Je n'exige aucun argent de votre mari.

NORA. Mais alors, que voulez-vous?

KROGSTAD. Je vais vous le dire. Je veux réussir en affaires, madame. Je veux faire carrière, et c'est à cela que votre mari doit m'aider. Depuis un an et demi, je n'ai rien fait de malhonnête. Pendant tout ce temps-là, 750 je me suis débattu avec les pires difficultés matérielles. J'étais heureux de pouvoir remonter un échelon après l'autre. Mais maintenant, on m'a chassé, et je ne me contenterai pas d'un simple retour en grâce. Je veux réussir, vous dis-je. Je veux retourner à la banque... avoir une position plus élevée. Il faut que votre mari crée un emploi pour moi...

NORA. Il ne le fera jamais!

KROGSTAD. Je vous dis que si. Je le connais. Il n'osera pas dire un mot. Et une fois que je serai installé avec lui, 760 vous verrez! Avant un an, je serai le bras droit du directeur. Ce sera Nils Krogstad et non Torvald Helmer qui dirigera la Banque Privée.

NORA. Cela ne se fera jamais!

KROGSTAD. Vous voulez peut-être...?

NORA. J'en ai le courage, maintenant.

KROGSTAD. Oh ! vous ne me faites pas peur. Une dame élégante et gâtée comme vous...

NORA. Vous verrez, vous verrez !

KROGSTAD. Vous disparaîtriez sous la glace, peut-être ?
770 Dans l'eau froide, noire comme l'encre ? Et vous reviendriez à la surface au printemps, laide, méconnaissable, vous auriez perdu tous vos cheveux...

NORA. Vous ne me faites pas peur.

KROGSTAD. Vous non plus, vous ne me faites pas peur. Ce ne sont pas des choses à faire, Madame Helmer. A quoi cela servirait-il, d'ailleurs ? Il serait tout autant en mon pouvoir.

NORA. Après cela ? Une fois que j'aurai disparu... ?

KROGSTAD. Est-ce que vous oubliez qu'à ce moment-là,
780 ce sera moi qui déciderai du souvenir que vous laisserez ?

NORA, *elle le regarde, interdite.*

KROGSTAD. Eh bien, maintenant, je vous ai prévenue. Ne faites donc pas de bêtises. Une fois que Helmer aura reçu ma lettre, j'attends un message de sa part. Et rappelez-vous bien que c'est votre mari qui m'a contraint lui-même à avoir de nouveau recours à ce genre de moyens. Je ne le lui pardonnerai jamais. Au revoir, madame.

Il sort par le vestibule.

NORA, *elle a entrouvert la porte qui mène dans le vestibule, et elle écoute.* Il s'en va. Il ne met pas la lettre. Oh non,
790 non, ce serait impossible ! *(Elle ouvre la porte de plus en plus grand.)* Qu'y a-t-il ? Il est encore là. Il ne descend pas l'escalier. Est-ce qu'il a changé d'avis ? Est-ce qu'il... ?

Une lettre tombe dans la boîte aux lettres ; on entend ensuite le bruit des pas de Krogstad qui se perd à mesure qu'il descend l'escalier.

NORA, *elle pousse un cri étouffé, traverse rapidement la pièce jusqu'à la table qui est près du canapé ; un moment de silence.* Dans la boîte aux lettres. *(Elle s'avance avec précaution jusqu'à la porte du vestibule.)* Elle est là... Torvald, Torvald... maintenant, nous sommes perdus !

MADAME LINDE, *elle vient de la pièce de gauche, le costume à la main.* Je ne vois plus rien à arranger. Nous
800 pourrions peut-être faire un essai... ?

NORA, *d'une voix enrouée, doucement.* Christine, viens voir.

MADAME LINDE, *elle jette le costume sur le canapé.* Qu'est-ce qui ne va pas ? Tu as l'air bouleversée.

NORA. Viens là. Tu vois cette lettre ? Là, regarde... au travers de la vitre de la boîte aux lettres.

MADAME LINDE. Oui, oui. Je la vois bien.

NORA. Cette lettre est de Krogstad...

MADAME LINDE. Nora... c'est Krogstad qui t'a prêté
810 l'argent !

NORA. Oui. Et maintenant, Torvald va tout savoir.

MADAME LINDE. Oh ! crois-moi, Nora, c'est ce qu'il y a de mieux pour vous deux.

NORA. Je ne t'ai pas tout dit. J'ai fait une fausse signature...

MADAME LINDE. Mais juste Ciel... ?

NORA. Je veux simplement te dire une chose, Christine : il faut que tu me serves de témoin.

MADAME LINDE. Témoin de quelle manière ? Que veux-
819 tu que je... ?

NORA. Si jamais je devenais folle... et il est fort possible que cela arrive...

MADAME LINDE. Nora !

NORA. Ou s'il m'arrivait autre chose... quelque chose qui ferait que je ne pourrais pas être là en personne...

MADAME LINDE. Nora, Nora, on dirait que tu n'es pas dans un état normal...

NORA. Si quelqu'un voulait tout prendre sur lui, toute la faute, tu comprends...

MADAME LINDE. Oui, oui ; mais comment peux-tu ima830 giner... ?

NORA. Il faudra à ce moment-là que tu témoignes que ce n'est pas vrai, Christine. Je suis tout à fait dans un état normal. J'ai tout mon bon sens, pour l'instant, et je te le dis : personne d'autre n'était au courant. J'ai tout fait toute seule. Souviens-toi de cela.

MADAME LINDE. Je ne l'oublierai pas. Mais il y a certaines choses qui m'échappent.

NORA. Oh ! comment pourrais-tu comprendre ? On va voir 839 maintenant s'accomplir le prodige.

MADAME LINDE. Le prodige ?

NORA. Oui, le prodige. Mais c'est tellement terrible, Christine, qu'il ne faut absolument pas qu'il s'accomplisse, il faut à tout prix empêcher cela.

MADAME LINDE. Je vais tout de suite aller voir Krogstad.

NORA. Ne va pas le voir. Il te ferait du mal !

MADAME LINDE. Il fut un temps où il aurait volontiers fait n'importe quoi pour moi.

NORA. Lui ?

MADAME LINDE. Où habite-t-il ?

NORA. Oh, qu'est-ce que j'en sais... ? Si... *(Elle cherche* 851 *dans sa poche.)* Voilà sa carte. Mais la lettre, la lettre... !

HELMER, *il est dans son bureau et frappe à la porte.* Nora !

NORA, *elle pousse un cri de frayeur.* Oh! qu'y a-t-il? Que veux-tu?

HELMER. Allons, allons, ne t'affole pas comme ça. Nous n'avons pas l'intention d'entrer. Tu as fermé la porte. Tu es peut-être en plein essayage?

NORA. Oui, oui. J'essaie mon costume. Je serai très jolie, Torvald.

MADAME LINDE, *elle a lu la carte.* Il habite juste au coin
861 de la rue.

NORA. Oui, mais ça ne servira à rien. Nous sommes perdus. La lettre est dans la boîte.

MADAME LINDE. Et c'est ton mari qui a la clef?

NORA. Oui, toujours.

MADAME LINDE. Il faut que Krogstad demande que sa lettre lui soit rendue avant d'avoir été lue. Il faut qu'il trouve un prétexte...

NORA. Mais c'est justement le moment où Torvald a
870 l'habitude de...

MADAME LINDE. Retarde-le. Va le retrouver dans son bureau pendant ce temps-là. Je reviens aussi vite que possible.

Elle s'en va rapidement par la porte du vestibule.

NORA, *elle s'approche de la porte de Helmer, l'ouvre et jette un coup d'œil à l'intérieur de la pièce.* Torvald!

HELMER, *depuis son bureau.* Alors, est-ce qu'on peut enfin se permettre de reprendre possession du salon? Viens, Rank, nous allons voir... (*Sur le seuil de la porte.*) Mais
879 qu'est-ce que cela veut dire?

NORA. Qu'y a-t-il, mon cher Torvald?

HELMER. Rank m'a préparé à voir une grande scène en costume.

RANK, *sur le seuil de la porte.* C'est ce que j'avais cru comprendre, mais je me suis trompé.

NORA. Oui, personne ne pourra m'admirer dans toute ma splendeur avant demain.

HELMER. Mais, ma chère Nora, tu as l'air bien fatiguée. 888 Tu as peut-être trop répété ?

NORA. Non, je n'ai même pas commencé à répéter.

HELMER. Il faudra pourtant que tu t'y mettes...

NORA. Oui, c'est tout à fait indispensable, Torvald. Mais je n'arriverai à rien si tu ne m'aides pas. J'ai tout oublié.

HELMER. Oh ! nous aurons vite fait de te rafraîchir la mémoire.

NORA. Oui, occupe-toi de moi maintenant, Torvald. Tu me le promets ? Oh ! j'ai tellement peur. Il y aura tellement de monde... Il faut que tu te consacres uniquement à moi, ce soir. Laisse tout ton travail. Ne touche 899 pas à ta plume. Allez ! Tu veux bien, mon cher Torvald ?

HELMER. Je te le promets. Ce soir, je suis entièrement à ta disposition... pauvre petite, tu es tellement désemparée... Hum ! c'est vrai, je vais tout de même d'abord...

Il se dirige vers la porte du vestibule.

NORA. Qu'est-ce que tu vas voir ?

HELMER. Je veux simplement regarder s'il y a du courrier.

NORA. Non, non, n'y va pas, Torvald !

HELMER. Et pourquoi donc ?

NORA. Torvald, je t'en prie. Il n'y en a pas.

HELMER. Je vais tout de même regarder. *(Il fait un mouvement vers la porte.)*

NORA, *elle s'est mise au piano, et joue les premières mesures* 910 *de la tarentelle.*

HELMER, *il est arrivé à la porte, s'arrête.* Ah ! ah !

NORA. Je ne pourrai pas danser demain si je ne m'exerce pas avec toi.

HELMER, *il la rejoint.* As-tu vraiment peur à ce point, ma chère Nora ?

NORA. Oui, j'ai extrêmement peur. Il faut que je m'exerce tout de suite. Nous avons encore le temps avant de passer à table. Assieds-toi et accompagne-moi au piano, mon cher Torvald. Corrige mes fautes, donne-moi des
920 directives comme tu le fais d'habitude.

HELMER. Volontiers, très volontiers, puisque tu le désires. *Il s'assied au piano.*

NORA, *elle sort le tambourin du carton, de même qu'un long châle bariolé, dans lequel elle se drape prestement ; puis, d'un bond, elle prend place au milieu de la pièce et s'écrie :* Accompagne-moi au piano ! Je vais danser !

   Helmer joue, et Nora danse ; le docteur Rank est debout, près du piano, derrière Helmer et il regarde.

HELMER, *tout en jouant.* Plus lentement... plus lentement.

NORA. Je ne peux pas faire autrement.

HELMER. Moins de fougue, Nora !

NORA. C'est exactement comme cela qu'il faut que ce soit.

HELMER, *il s'arrête.* Non, non, cela ne va pas du tout.

NORA, *elle rit et agite le tambourin.* C'est bien ce que je
932 t'avais dit !

RANK. Laisse-moi l'accompagner.

HELMER, *il se lève.* Oui, vas-y. Comme cela, je pourrai mieux la conseiller.

   Rank s'assied au piano et joue, Nora danse sur un rythme de plus en plus endiablé. Helmer s'est placé près du poêle et lui fait de nombreuses remarques pour lui

*indiquer comment elle doit danser ; elle semble ne pas les
entendre ; ses cheveux se dénouent et tombent sur ses
épaules ; elle ne s'en aperçoit pas, et continue à danser.
Madame Linde entre.*

MADAME LINDE, *elle s'arrête comme médusée sur le seuil
de la porte.* Ah !...

NORA, *tout en dansant.* On s'amuse bien ici, Christine.

HELMER. Mais dis donc, ma chère Nora, tu danses comme
940 si c'était une question de vie ou de mort.

NORA. C'est bien le cas.

HELMER. Rank, arrête. C'est de la folie pure. Arrête, te
dis-je.

*Rank arrête de jouer, et Nora se tient soudain immo-
bile.*

HELMER, *s'adressant à elle.* Je n'aurais jamais cru cela de
toi. Tu as complètement oublié tout ce que je t'ai appris.

NORA, *elle jette le tambourin.* C'est bien ce que je te disais.

HELMER. Eh bien, tu as bien besoin de directives.

NORA. Oui, tu vois combien c'est nécessaire. Il faut que tu
me donne des directives jusqu'au dernier moment. Tu
950 me le promets, Torvald ?

HELMER. Tu peux me faire confiance.

NORA. Tu ne dois penser à rien d'autre qu'à moi, ni
aujourd'hui, ni demain. Tu ne dois pas ouvrir de lettre...
ne pas toucher à la boîte aux lettres...

HELMER. Ah ! ah ! tu as toujours peur de cet homme...

NORA. Oh ! oui, oui, il y a cela aussi.

HELMER. Nora, je vois sur ta figure qu'il y a déjà une
lettre de lui.

NORA. Je ne sais pas. Je crois que oui, mais ne lis pas ce
960 genre de choses maintenant. Rien de laid ne doit se
glisser entre nous avant que tout soit fini.

RANK, *à voix basse, en s'adressant à Helmer.* Il ne faut pas
la contrarier.

HELMER, *il la prend dans ses bras.* Cédons à ce caprice
d'enfant. Mais demain soir, quand tu auras dansé...

NORA. Là, tu seras libre.

LA BONNE, *depuis la porte de droite.* Madame, le dîner est
968 servi.

NORA. Il nous faut du champagne, Hélène.

LA BONNE. Bien, madame.

   Elle sort.

HELMER. Voyez-vous cela... c'est la grande fête, alors ?

NORA. La fête au champagne, jusqu'au lever du jour. *(Elle
crie :)* Et un peu de macarons, Hélène, beaucoup... pour
une fois.

HELMER, *il lui prend les mains.* Allons, allons, allons, ne
te laisse pas aller à cette exaltation craintive. Sois ma
gentille petite alouette, comme d'habitude.

NORA. Oui, je veux bien. Mais entre donc, je vous rejoins
tout de suite. Vous aussi, docteur Rank. Christine, aide-
980 moi à me recoiffer.

RANK, *à voix basse, en sortant de la pièce.* Vous n'attendez
pas d'événement... particulier, non ?

HELMER. Mais pas du tout, cher ami. Ce n'est rien d'autre
que cette crainte puérile dont je t'ai parlé.

   Ils entrent dans la pièce de droite.

NORA. Alors ?

MADAME LINDE. Il est parti à la campagne.

NORA. Je l'ai deviné à ton air.

MADAME LINDE. Il revient demain soir. Je lui ai laissé
989 un mot.

NORA. Tu n'aurais pas dû. Il ne faut rien empêcher. Au
fond, c'est exaltant d'attendre le prodige.

MADAME LINDE. Mais qu'est-ce que tu attends ?

NORA. Oh ! tu ne peux pas comprendre. Va les rejoindre.
J'arrive tout de suite.

Madame Linde gagne la salle à manger.

NORA, *elle reste un instant immobile comme si elle voulait
reprendre ses esprits ; puis elle jette un coup d'œil à sa
montre.* Cinq heures. Il y a encore sept heures jusqu'à
minuit. Et puis vingt-quatre heures jusqu'à demain minuit.
1000 Et là, la tarentelle sera finie. Vingt-quatre et sept ? Trente
et une heures à vivre.

HELMER, *depuis la porte de droite.* Mais que fait la petite
alouette ?

NORA, *elle se dirige vers lui les bras ouverts.* Voici l'alouette !

Acte III

La même pièce. La table ronde qui était devant le canapé a été déplacée ; elle se trouve maintenant au milieu de la scène, entourée de fauteuils. On y a posé une lampe allumée. La porte qui mène dans le vestibule est ouverte. De la musique de danse provient de l'étage du dessus.

Madame Linde est assise près de la table et feuillette distraitement un livre. Elle essaie de lire, mais ne semble pas capable de se concentrer. Plusieurs fois, elle tend l'oreille vers la porte d'entrée.

MADAME LINDE, *regardant sa montre.* Pas encore là. Et pourtant, il est grand temps. Si jamais... *(Elle tend à nouveau l'oreille.)* Ah ! le voilà. *(Elle se rend dans le vestibule et ouvre la porte d'entrée avec précaution. On entend quelqu'un monter l'escalier discrètement ; elle parle à voix basse :)* Entrez. Il n'y a personne.

L'AVOUÉ KROGSTAD, *depuis la porte.* J'ai trouvé chez moi un billet qui vient de vous. Que veut dire tout cela ?

MADAME LINDE. Il faut absolument que je vous parle.

KROGSTAD. Ah ! oui ? Et il faut absolument que cela ait lieu dans cette maison ?

MADAME LINDE. Chez moi, c'était impossible : ma chambre n'a pas d'entrée séparée. Entrez. Nous sommes tout seuls. La bonne dort, et les Helmer sont au bal chez les voisins du dessus.

KROGSTAD, *il entre dans le salon.* Tiens, tiens ! Les Helmer dansent ce soir ? Vraiment ?

MADAME LINDE. Oui, pourquoi pas ?

KROGSTAD. Mais oui, après tout.

MADAME LINDE. Allons, Krogstad, venons-en tout de
21 suite au fait.

KROGSTAD. Mais est-ce que nous avons encore des choses à nous dire ?

MADAME LINDE. Nous avons beaucoup de choses à nous dire.

KROGSTAD. Je ne l'aurais pas cru.

MADAME LINDE. Cela vient de ce que vous ne m'avez jamais vraiment comprise.

KROGSTAD. C'était pourtant simple. Il n'y avait pas à
30 chercher bien loin. C'est l'éternelle histoire de la femme sans cœur qui éconduit un homme au profit d'un parti plus avantageux.

MADAME LINDE. Pensez-vous que je sois absolument sans cœur ? Et pensez-vous que j'aie rompu de gaieté de cœur ?

KROGSTAD. Vraiment pas ?

MADAME LINDE. Krogstad, avez-vous réellement cru cela ?

KROGSTAD. Si ce n'était pas le cas, pourquoi m'avez-vous
40 écrit à l'époque comme vous l'avez fait ?

MADAME LINDE. Je ne pouvais pas faire autrement. Puisque je devais rompre avec vous, c'était mon devoir

d'anéantir en vous tous les sentiments que vous ressen-
tiez à mon égard.

KROGSTAD, *il se tord les mains.* Voilà donc le fin mot de
l'histoire ! Et tout cela... tout cela, simplement pour une
question d'argent !

MADAME LINDE. N'oubliez pas que je devais m'occuper
de ma pauvre mère, qui était sans ressources, ainsi que
50 de mes deux petits frères. Nous ne pouvions pas attendre
après vous, Krogstad. A l'époque, vous n'étiez pas près
de réaliser vos projets.

KROGSTAD. Cela se peut, mais vous n'aviez pas le droit
de me repousser pour en prendre un autre.

MADAME LINDE. Ah ! je ne sais pas. Je me suis souvent
demandé si j'avais le droit de le faire.

KROGSTAD, *en baissant la voix.* Quand je vous ai perdue,
cela m'a fait le même effet que si le sol s'était dérobé
sous mes pieds. Regardez-moi : vous avez maintenant
60 devant vous un naufragé sur une épave.

MADAME LINDE. Le secours est peut-être proche.

KROGSTAD. Il était proche, mais votre arrivée ici a ruiné
mes espoirs.

MADAME LINDE. J'ignorais tout de la chose, Krogstad.
C'est seulement aujourd'hui que j'ai appris que c'est vous
que je vais remplacer à la banque.

KROGSTAD. Je vous crois puisque vous me le dites. Mais
maintenant que vous le savez, ne voulez-vous pas retirer
votre demande ?

MADAME LINDE. Non, car cela ne vous serait d'aucune
71 utilité.

KROGSTAD. D'aucune utilité, mais qu'est-ce qui est utile ?
... Si j'étais à votre place, je le ferais tout de même.

MADAME LINDE. J'ai appris à agir raisonnablement. La vie et la nécessité cruelle et amère me l'ont appris.

KROGSTAD. Et moi, la vie m'a appris à ne pas me fier aux paroles.

MADAME LINDE. La vie vous a appris là une chose très raisonnable. Mais vous ne pouvez sans doute pas faire
80 autrement que de croire aux actes ?

KROGSTAD. Qu'entendez-vous par là ?

MADAME LINDE. Vous avez dit que vous étiez comme un naufragé sur une épave.

KROGSTAD. J'estime que j'avais de bonnes raisons de le dire.

MADAME LINDE. Moi aussi, je suis comme une naufragée sur une épave. Je n'ai personne sur qui pleurer, et
88 personne de qui je pourrais m'occuper.

KROGSTAD. Vous l'avez bien voulu.

MADAME LINDE. A l'époque, je n'avais pas le choix.

KROGSTAD. Peut-être, mais où voulez-vous en venir ?

MADAME LINDE. Krogstad, que diriez-vous si les deux naufragés que nous sommes pouvaient se rejoindre ?

KROGSTAD. Que dites-vous là ?

MADAME LINDE. Mieux vaut être à deux sur une épave, plutôt que de rester chacun sur la sienne.

KROGSTAD. Christine !

MADAME LINDE. Pourquoi croyez-vous que je sois venue
99 ici ?

KROGSTAD. Se pourrait-il que vous ayez pensé à moi ?

MADAME LINDE. Pour moi, le seul moyen de supporter l'existence, c'est le travail. J'ai travaillé tous les jours de ma vie, aussi loin que remontent mes souvenirs, et cela

a toujours été mon unique et mon plus grand sujet de joie. Mais maintenant, je suis toute seule au monde, tout en moi n'est que vide et solitude. On n'éprouve aucune joie à travailler pour soi-même. Krogstad, donnez-moi une personne et une cause pour lesquelles je puisse
109 travailler.

KROGSTAD. Je ne crois rien de tout cela. Ce n'est que de l'abnégation née dans le cerveau exalté d'une femme qui a absolument besoin de se sacrifier.

MADAME LINDE. Avez-vous déjà eu l'impression que j'étais exaltée ?

KROGSTAD. Seriez-vous vraiment capable de cela ? Dites-moi... êtes-vous entièrement au courant de mon passé ?

MADAME LINDE. Oui.

KROGSTAD. Et savez-vous ce qu'on dit de moi ?

MADAME LINDE. En vous entendant tout à l'heure, j'ai
120 eu l'impression que vous pensiez que si j'avais été là, les choses se seraient passées différemment.

KROGSTAD. J'en suis tout à fait certain.

MADAME LINDE. Est-il trop tard ?

KROGSTAD. Christine... vous dites cela en pleine connaissance de cause ! Mais oui, je le vois à votre air. Est-ce à dire que vous avez vraiment le courage... ?

MADAME LINDE. J'ai besoin de quelqu'un pour qui je pourrai être une mère ; et vos enfants ont besoin d'une mère. Nous avons tous les deux besoin l'un de l'autre.
130 Krogstad, je crois que vous avez un bon fond... avec vous, je ne reculerai devant rien.

KROGSTAD, *en lui saisissant les mains.* Merci, merci, Christine... maintenant, je saurai aussi me réhabiliter aux yeux des autres... Ah ! mais j'oubliais...

MADAME LINDE, *elle tend l'oreille.* Chut ! La tarentelle !
Partez, partez !

KROGSTAD. Pourquoi ? Qu'y a-t-il ?

MADAME LINDE. Vous entendez cette danse, à l'étage du
dessus ? Quand elle sera terminée, ils pourront arriver
140 d'un instant à l'autre.

KROGSTAD. Eh bien, je m'en vais. Mais tout est en vain.
Nous ne savez pas quelle démarche j'ai entreprise contre
Helmer, bien sûr.

MADAME LINDE. Si, Krogstad, je le sais.

KROGSTAD. Et malgré tout, vous auriez le courage de... ?

MADAME LINDE. Je comprends bien jusqu'où le désespoir
peut amener un homme comme vous.

KROGSTAD. Oh ! si je pouvais revenir en arrière !

MADAME LINDE. Vous le pourriez certainement, car
150 votre lettre est toujours dans la boîte.

KROGSTAD. En êtes-vous sûre ?

MADAME LINDE. Tout à fait sûre ; mais...

KROGSTAD, *il porte sur elle un regard inquisiteur.* Serait-
ce là l'explication ? Vous voulez à tout prix sauver votre
amie. Dites-le donc franchement. Est-ce que je me
trompe ?

MADAME LINDE. Krogstad, quand on s'est vendu soi-
158 même une fois pour d'autres, on ne le refait pas.

KROGSTAD. Je vais demander qu'on me rende ma lettre.

MADAME LINDE. Non, non.

KROGSTAD. Si, bien sûr. Je vais attendre ici jusqu'à ce
que Helmer descende, et je lui dirai qu'il faut qu'il me
rende ma lettre... qu'il ne s'agit que de ma mise à la
porte... qu'il ne doit pas la lire...

MADAME LINDE. Non. Krogstad, ne réclamez pas votre
lettre.

KROGSTAD. Mais, dites-moi, est-ce que ce n'est pas
justement pour cela que vous m'avez donné rendez-vous
169 ici ?

MADAME LINDE. Si, dans le premier mouvement d'épouvante ; mais vingt-quatre heures se sont écoulées depuis,
et pendant ce temps, j'ai assisté à des choses incroyables
dans cette maison. Il faut que Helmer soit mis au courant
de tout. Ce sinistre secret doit être mis au jour. Il faut
qu'ils s'expliquent à fond, tous les deux. Ils ne peuvent
pas continuer avec toutes ces cachotteries et tous ces
faux-fuyants.

KROGSTAD. Eh bien soit, si vous ne craignez pas... Mais
il y a une chose que je peux faire de toute manière, et il
180 faut que je la fasse tout de suite...

MADAME LINDE, *elle tend l'oreille.* Dépêchez-vous ! Partez, partez ! La danse est finie. A partir de maintenant,
nous ne sommes plus en sécurité.

KROGSTAD. Je vous attends en bas.

MADAME LINDE. C'est entendu. Vous pourrez m'accompagner jusqu'à ma porte.

KROGSTAD. Je n'ai jamais été aussi heureux, c'est à ne
pas y croire.

Il sort par la porte d'entrée ; et laisse ouverte la porte
du salon qui donne dans le vestibule.

MADAME LINDE. *elle remet un peu d'ordre dans la pièce*
190 *et prépare son manteau.* Quel revirement ! Oh ! quel
revirement. Des personnes pour qui je vais pouvoir
travailler... pour qui je vais pouvoir vivre ; un foyer dont
je vais pouvoir faire un nid douillet. Eh bien, je vais me
mettre à la tâche sans tarder... Pourvu qu'ils arrivent

bientôt... *(Elle tend l'oreille.)* Ah ! les voilà, je pense. Habillons-nous.

Elle prend son chapeau et son manteau.

On entend les voix de Helmer et de Nora ; la clef tourne dans la serrure, et Helmer pousse Nora presque brutalement dans le vestibule. Elle a son costume italien et porte un grand châle noir par-dessus. Helmer est en tenue de soirée, il a jeté un domino noir sur ses épaules.

NORA, *elle est encore sur le seuil de la porte, elle résiste.* Non, non, non ! Je n'entre pas. Je veux remonter. Je ne 199 veux pas m'en aller d'aussi bonne heure.

HELMER. Mais, ma chère Nora...

NORA. Oh ! je t'en supplie, Torvald. Je te le demande si gentiment... rien qu'une heure, ce sera la dernière !

HELMER. Même pas une minute, ma charmante Nora. Tu sais que c'était convenu entre nous. Allons, entre dans le salon, tu vas prendre froid si tu t'attardes ici.

Il l'introduit dans le salon avec ménagements, malgré la résistance qu'elle lui oppose.

MADAME LINDE. Bonsoir.

NORA. Christine !

HELMER. Eh bien, Madame Linde, comment se fait-il que vous soyez là si tard ?

MADAME LINDE. Excusez-moi, mais j'avais tellement 211 envie de voir Nora dans son costume.

NORA. Es-tu restée ici à m'attendre ?

MADAME LINDE. Oui, je ne suis malheureusement pas arrivée à temps. Tu étais déjà en haut, et j'ai trouvé que je ne pouvais pas repartir sans t'avoir vue.

HELMER, *il enlève le châle de Nora.* Voilà, regardez-la bien. Je pense qu'elle vaut la peine qu'on la regarde. Elle est ravissante, vous ne trouvez pas, Madame Linde ?

MADAME LINDE. Si, c'est bien vrai...

HELMER. Elle est merveilleusement ravissante, non ? C'est
221 ce que tout le monde a pensé ce soir. Mais elle est
terriblement têtue... cette gentille petite personne. Comment
faire pour la convaincre ? Figurez-vous que j'ai presque
été obligé de la forcer à quitter les lieux.

NORA. Oh ! Torvald, tu regretteras plus tard de ne pas
m'avoir accordé ne serait-ce qu'une demi-heure supplémentaire.

HELMER. Vous entendez, madame. Elle danse sa tarentelle... remporte un succès fou... qui était bien mérité...
230 bien qu'il y ait eu sans doute trop de naturel dans
l'exécution ; je veux dire... un peu plus que ce qui était
strictement nécessaire pour satisfaire aux exigences de
l'art. Mais, admettons ! L'essentiel, c'est... qu'elle ait
remporté un succès. Un succès fou. Fallait-il lui permettre de rester, après cela ? Pour que le charme soit
rompu ? Non merci. J'ai pris par le bras ma ravissante
fille de Capri — je pourrais dire : ma capricieuse petite
fille de Capri — ; nous avons fait le tour de la salle ; une
courbette de tous les côtés, et... comme on le lit dans les
240 romans, le beau spectacle s'était évanoui. Un dénouement doit toujours faire de l'effet, Madame Linde. Mais
je n'arrive pas à faire comprendre cela à Nora. Ouf ! Il
fait chaud ici. *(Il jette son domino sur une chaise et ouvre
la porte de son cabinet de travail.)* Comment ? Il n'y a
pas de lumière. Mais non, bien sûr. Excusez-moi...

Il entre et allume deux chandelles.

NORA, *en chuchotant, précipitamment.* Alors ?

MADAME LINDE, *à voix basse.* Je lui ai parlé.

NORA. Et alors... ?

MADAME LINDE. Nora... il faut que tu dises tout à ton
250 mari.

NORA, *d'une voix éteinte*. Je m'en doutais.

MADAME LINDE. Tu n'as rien à craindre de la part de Krogstad, mais il n'y a rien à faire, il faut que tu parles.

NORA. Je ne parlerai pas.

MADAME LINDE. Dans ces conditions, c'est la lettre qui parlera.

NORA. Merci, Christine. Je sais maintenant ce qui me reste à faire. Chut... !

HELMER, *revient dans la pièce*. Eh bien, madame, vous
260 avez pu l'admirer ?

MADAME LINDE. Oui, et maintenant, je vous souhaite une bonne nuit.

HELMER. Comment, vous partez déjà ? C'est à vous qu'il appartient, ce tricot ?

MADAME LINDE, *en prenant l'ouvrage en question*. Oui. Je vous remercie. Pour un peu, je l'aurais oublié.

HELMER. Vous faites donc du tricot ?

MADAME LINDE. Mais oui.

HELMER. Vous savez, vous feriez mieux de faire de la
270 broderie.

MADAME LINDE. Vraiment ? Et pourquoi donc ?

HELMER. C'est tout de même beaucoup plus joli. Regardez : quand on brode, on tient son ouvrage comme ceci, dans sa main gauche, et avec sa main droite, on manie l'aiguille... comme cela... en décrivant élégamment un grand arc de cercle. Vous ne trouvez pas ?

MADAME LINDE. Si, c'est bien possible...

HELMER. Tandis que les mouvements qu'on fait en tricotant ne peuvent être que laids. Regardez : les bras sont serrés contre le corps... les aiguilles montent et descendent... cela a quelque chose de mécanique... Ah ! c'est vraiment un merveilleux champagne qu'on nous a servi.

MADAME LINDE. Bonne nuit, Nora, et cesse donc d'être têtue.

HELMER. Voilà qui est bien parlé, Madame Linde !

MADAME LINDE. Bonne nuit, monsieur le Directeur.

HELMER, *en l'accompagnant jusqu'à la porte.* Bonne nuit, bonne nuit. J'espère que vous pourrez rentrer chez vous sans encombre ? Je suis tout disposé à... mais vous n'avez
290 pas longtemps à marcher. Bonne nuit, bonne nuit. *(Elle s'en va. Il ferme la porte derrière elle et revient dans la pièce.)* Voilà ! Nous avons tout de même fini par la faire partir. Elle est terriblement ennuyeuse, cette femme.

NORA. Tu ne te sens pas vraiment fatigué, Torvald ?

HELMER. Non, pas le moins du monde.

NORA. Tu n'as pas non plus envie de dormir ?

HELMER. Pas du tout. Je me sens au contraire on ne peut plus ragaillardi. Et toi ? C'est pourtant vrai, tu as bien l'air de quelqu'un qui est fatigué et qui a besoin de
300 sommeil.

NORA. Oui, je suis très fatiguée. Je ne vais pas tarder à aller me coucher.

HELMER. Tu vois ! C'est bien ce que je disais. J'avais donc raison de ne pas prolonger la soirée.

NORA. Oh ! tu as toujours raison dans ce que tu fais.

HELMER, *il lui donne un baiser sur le front.* L'alouette parle maintenant comme si elle était un être humain. Mais as-tu remarqué combien Rank était gai ce soir ?

NORA. Vraiment ? Il était gai ? Je n'ai pas eu l'occasion de
310 parler avec lui.

HELMER. Je n'ai presque pas pu lui parler non plus, mais il y avait longtemps que je ne l'avais vu d'aussi bonne humeur. *(Il la regarde un instant, puis se rapproche.)* Hum... c'est tout de même bien de se retrouver de nouveau chez soi. D'être tout seul avec toi. Oh! la belle et ravissante jeune femme que tu es!

NORA. Ne me regarde pas comme cela, Torvald!

HELMER. Pourquoi est-ce que je ne regarderais pas mon bien le plus précieux? Toute cette splendeur qui m'ap-
320 partient, à moi seul, et sans réserve?

NORA, *elle passe de l'autre côté de la table.* Il ne faut pas me parler comme cela ce soir.

HELMER, *la suivant.* Tu as encore la tarentelle dans le sang, à ce que je vois. Et cela te rend encore plus séduisante. Écoute! Les invités commencent à s'en aller. *(En baissant la voix.)* Nora... bientôt, toute la maison sera tranquille.

NORA. Oui, je l'espère.

HELMER. N'est-ce pas, ma Nora bien-aimée? Oh, tu sais...
330 quand je suis comme cela avec toi en société... sais-tu pourquoi je parle si peu avec toi, pourquoi je reste si loin de toi, et me contente de t'envoyer de temps à autre un coup d'œil furtif... sais-tu pourquoi je fais cela? C'est parce que je m'imagine à ce moment-là que tu es ma bien-aimée et que personne n'en sait rien, ma jeune fiancée secrète, et que personne n'a la moindre idée qu'il y a quelque chose entre nous.

NORA. Oui, oui, oui. Je sais bien que tu n'as de pensées que pour moi.

HELMER. Et quand nous sommes sur le point de partir et
341 que je mets le châle sur tes jeunes épaules délicates... sur cette nuque à la courbure merveilleuse... je m'imagine que tu es ma jeune épouse, que la cérémonie du mariage

vient de se terminer, et que je suis pour la première fois
tout seul avec toi... tout seul avec toi, ma jeune beauté
frémissante ! Pendant toute la soirée, je n'ai fait qu'aspi-
rer après toi. Quand je te voyais repousser et attirer des
prétendants imaginaires en dansant la tarentelle... mon
sang bouillonnait. Je n'y tenais plus. C'est pour cela que
350 je suis descendu avec toi d'aussi bonne heure...

NORA. Va-t'en, Torvald ! Éloigne-toi de moi. Je ne veux
rien de tout cela.

HELMER. Qu'est-ce que cela veut dire ? Tu veux sans doute
plaisanter à mes dépens, ma petite Nora. Qui te demande
si tu veux ? Ne suis-je pas ton mari ?

(On frappe à la porte d'entrée.)

NORA, *en sursautant.* As-tu entendu... ?

HELMER, *il se tourne vers le vestibule.* Qui est-ce ?

LE DOCTEUR RANK, *de l'extérieur.* C'est moi. Puis-je
me permettre d'entrer un instant ?

HELMER, *à voix basse, l'air contrarié.* Mais qu'est-ce qu'il
361 veut à cette heure-ci ? *(A haute voix.)* Attends un peu. *(Il
va ouvrir la porte.)* Ah, c'est gentil de ta part de ne pas
passer devant notre porte sans t'arrêter.

RANK. J'ai cru entendre ta voix, et j'ai eu envie de vous
voir malgré tout. *(Il parcourt rapidement la pièce des
yeux.)* Eh oui, ce sont des lieux que je connais bien et
que j'aime. Comme vous avez de la chance tous les deux
de vivre ensemble dans un foyer chaud et confortable.

HELMER. Tu avais l'air de te trouver très à l'aise là-haut
370 aussi.

RANK. Je m'y sentais tout à fait à l'aise. Y aurait-il du mal
à cela ? Pourquoi ne pas profiter de tout de qui s'offre à
nous dans ce monde ? En tout cas autant que possible,
et aussi longtemps que possible. Le vin était excellent...

HELMER. Surtout le champagne.

RANK. L'as-tu aussi remarqué ? C'est presque incroyable la
377 quantité que j'ai pu absorber.

NORA. Torvald a bu aussi beaucoup de champagne ce soir.

RANK. Ah ?

NORA. Oui, et après, il est toujours très gai.

RANK. Mais pourquoi ne pas s'offrir une soirée joyeuse
après une journée bien remplie ?

HELMER. Bien remplie... je ne peux malheureusement pas
m'en vanter.

RANK, *en lui donnant une tape sur l'épaule.* Eh bien moi,
je peux, tu vois !

NORA. Docteur Rank, je crois que vous avez fait une
388 analyse médicale, aujourd'hui.

RANK. Oui, justement.

HELMER. Voyez-vous cela, la petite Nora parle d'analyses
médicales !

NORA. Et m'est-il permis de vous féliciter du résultat ?

RANK. Mais bien sûr, je vous en prie.

NORA. Il est donc positif ?

RANK. Il est le meilleur possible pour le médecin comme
pour le malade : il a apporté une certitude.

NORA, *promptement, et en lui jetant un regard inquisiteur.*
Une certitude ?

RANK. Une pleine certitude. N'y avait-il pas de quoi s'offrir
400 une soirée joyeuse après cela ?

NORA. Si, vous avez eu raison, docteur Rank.

HELMER. C'est aussi ce que je pense, à condition que tu
n'aies pas à en pâtir demain.

RANK. Bah, on n'a rien sans mal dans la vie.

NORA. Docteur Rank... vous aimez sans doute beaucoup
les bals masqués ?

RANK. Oui, quand il y a beaucoup de déguisements
amusants...

NORA. Eh bien, dites-moi : que serons-nous, vous et moi,
410 au prochain bal masqué ?

HELMER. Petite folle ! Tu penses déjà au prochain !

RANK. Vous et moi ? Eh bien, je vais vous le dire : vous
serez quelqu'un qui aura de la chance...

HELMER. Je crois bien, mais trouve un costume qui puisse
représenter cela.

RANK. Ta femme n'a qu'à se montrer exactement telle
qu'elle est dans la vie de tous les jours...

HELMER. Voilà qui est bien dit. Mais ne sais-tu pas en
quoi tu te déguiseras ?

RANK. Si, mon cher ami, je suis parfaitement au clair à ce
421 sujet.

HELMER. Et alors ?

RANK. Au prochain bal masqué, je serai invisible.

HELMER. En voilà une curieuse idée.

RANK. Il existe un grand chapeau noir... Tu n'as jamais
entendu parler du chapeau qui rend invisible ? On se le
met sur la tête, et personne ne peut vous voir.

HELMER, *en réprimant un sourire.* C'est cela, tu as raison.

RANK. Mais j'oublie complètement pourquoi j'étais venu.
430 Helmer, donne-moi un cigare, un de tes havanes foncés.

HELMER. Avec le plus grand plaisir.

Il lui présente son étui.

RANK, *il prend un cigare et en coupe le bout.* Merci.

NORA, *elle frotte une allumette.* Permettez-moi de vous donner du feu.

RANK. Je vous remercie. *(Elle lui tend l'allumette. Il allume le cigare.)* Et maintenant, au revoir !

HELMER. Au revoir, au revoir, cher ami.

NORA. Dormez bien, docteur Rank.

RANK. Vous êtes trop aimable.

NORA. Souhaitez-moi aussi une bonne nuit.

RANK. A vous ? Eh bien, puisque vous le voulez... dormez
442 bien. Et merci de m'avoir donné du feu.

Il les salue d'un signe de tête et s'en va.

HELMER, *à mi-voix.* Il a bien bu.

NORA, *distraite.* Cela se peut bien.

Helmer sort son trousseau de clefs de sa poche et se rend dans le vestibule.

NORA. Torvald... que veux-tu faire ?

HELMER. Il faut que je vide la boîte aux lettres. Elle est toute pleine. Il n'y aurait pas de place pour les journaux demain matin.

NORA. As-tu l'intention de travailler cette nuit ?

HELMER. Tu sais bien que non. ... Qu'est-ce que cela veut
451 dire ? Quelqu'un a touché à la serrure.

NORA. Touché à la serrure... ?

HELMER. Cela se voit bien. Qu'a-t-il pu se passer ? Ce ne sont tout de même pas les domestiques... ? Et il y a un bout d'épingle à cheveux sur le sol. Nora, c'est une des tiennes...

NORA, *rapidement.* Ce sont certainement les enfants...

HELMER. Il faut absolument que tu leur fasses passer cette habitude. Hum, hum... voilà, je suis tout de même arrivé

460 à l'ouvrir. *(Il vide la boîte et crie en direction de la cuisine.)* Hélène ?... Hélène. Éteignez la lampe de l'entrée.

Il revient dans la pièce et ferme la porte du vestibule.

HELMER, *les lettres à la main*. Regarde un peu. Tu vois comment le courrier s'est accumulé. *(Il jette un coup d'œil sur les enveloppes.)* Qu'est-ce donc ?

NORA, *près de la fenêtre*. La lettre ! Oh ! non, non, Torvald !

HELMER. Deux cartes de visite... de Rank.

NORA. Du docteur Rank ?

HELMER, *les regarde*. Rank, docteur en médecine. Elles étaient tout au-dessus. Il les a certainement glissées dans 470 la boîte en partant.

NORA. A-t-il écrit quelque chose sur l'enveloppe ?

HELMER. Il y a une croix au-dessus de son nom. Regarde. En voilà une idée lugubre. C'est exactement comme s'il nous annonçait son propre décès.

NORA. C'est bien cela qu'il fait.

HELMER. Comment ? Es-tu au courant de quelque chose ? T'a-t-il fait une confidence ?

NORA. Oui. Les cartes que nous avons reçues signifient qu'il nous a fait ses adieux et qu'il veut s'enfermer pour 480 mourir.

HELMER. Pauvre ami. Je savais bien que je ne pourrais pas le garder longtemps. Mais si rapidement... Et il se terre quelque part comme une bête blessée.

NORA. Si la chose est inévitable, mieux vaut qu'elle se fasse sans parole. N'est-ce pas, Torvald ?

HELMER, *il fait les cent pas*. Il est tellement lié à nous. Je n'arrive pas à m'imaginer qu'il puisse disparaître. Avec ses souffrances et sa solitude, il formait comme un arrière-plan nuageux dans le paysage ensoleillé de notre

490 bonheur... Enfin, c'est peut-être mieux ainsi. Pour lui, en tout cas. *(Il s'interrompt.)* Et peut-être aussi pour nous, Nora. Maintenant, nous ne sommes plus que tous les deux. *(Il la prend dans ses bras.)* Oh! ma femme bien-aimée. Je crois que je ne peux pas te serrer assez fort. Tu sais, Nora... j'ai souhaité plus d'une fois qu'un danger imminent te menace, pour que je puisse risquer ma vie et mon tout pour toi.

NORA, *elle s'arrache à son étreinte et dit d'un ton ferme et* 499 *décidé.* C'est le moment de lire tes lettres, Torvald.

HELMER. Non, non, pas cette nuit. Je veux être auprès de toi, ma très chère femme.

NORA. En sachant que ton ami va mourir?

HELMER. Tu as raison. Cela nous a bouleversés tous les deux. Des pensées désagréables se sont glissées entre nous deux, des pensées de mort et de décomposition. Il faut que nous essayions de nous en débarrasser. En attendant... Nous nous retirerons chacun dans notre chambre.

NORA, *elle se jette à son cou.* Torvald... bonne nuit! Bonne 510 nuit!

HELMER, *il lui donne un baiser sur le front.* Bonne nuit, mon petit oiseau chanteur. Dors bien, Nora. Maintenant, je vais prendre connaissance du courrier.

Il entre dans son cabinet de travail et ferme la porte derrière lui.

NORA, *les yeux hagards, elle tâtonne autour d'elle, s'empare du domino de Helmer, s'en enveloppe, et chuchote d'une voix nerveuse, rauque et saccadée.* Ne plus jamais le voir. Jamais. Jamais. *(Elle se cache la tête sous son châle.)* Ne plus jamais voir les enfants. Eux non plus. Jamais. Jamais... Oh! l'eau noire et glacée. Oh! ce gouffre sans 520 fond... Ce... Oh! c'est seulement un moment à passer...

Maintenant, il la prend. Maintenant, il la lit. Oh! non, non, pas encore. Adieu à toi, Torvald, et adieu aux enfants...

Elle veut partir précipitamment et se dirige vers le vestibule, mais au même moment, Helmer ouvre brusquement la porte et apparaît, une lettre décachetée à la main.

HELMER. Nora!

NORA, *elle pousse un cri strident.* Ah!...

HELMER. Qu'est-ce que cela veut dire? Sais-tu ce qui est écrit dans cette lettre?

NORA. Oui, je le sais. Laisse-moi partir! Laisse-moi sortir!

HELMER, *il la retient.* Où veux-tu aller?

NORA, *en essayant de se dégager.* Il ne faut pas que tu me sauves, Torvald!

HELMER, *il recule en titubant.* Est-ce vrai? Les choses qu'il a écrites sont-elles vraies? C'est affreux! Non, non, c'est impossible, cela ne peut pas être vrai.

NORA. C'est pourtant vrai. Je t'ai aimé plus que tout au monde.

HELMER. Allons donc, ne cherche pas des prétextes stupides.

NORA, *elle fait un pas dans sa direction.* Torvald...!

HELMER. Malheureuse! Qu'as-tu donc fait?

NORA. Laisse-moi partir. Tu n'as pas à porter cela à ma place. Il ne faut pas que tu te charges de cette responsabilité.

HELMER. Pas de comédie. *(Il ferme la porte du vestibule à clef.)* Tu vas rester ici et tu vas me rendre des comptes. Comprends-tu ce que tu as fait? Réponds-moi! Le comprends-tu?

NORA, *elle le regarde fixement, son visage se fige, et elle lui dit :* Oui, je commence maintenant à le comprendre
550 pleinement.

HELMER, *il arpente la pièce.* Oh, comme ce réveil est terrible ! Pendant ces huit ans... celle qui était ma joie et ma fierté... une hypocrite, une menteuse... et pire que cela, une criminelle ! ... Quel abîme de laideur que tout cela ! Fi, quelle honte !

NORA, *elle se tait et continue à le regarder fixement.*

HELMER, *il s'arrête devant elle.* J'aurais dû me douter qu'il allait arriver ce genre de choses. J'aurais dû le prévoir. Tu prends la vie à la légère, tu n'as pas de principes,
560 exactement comme ton père. Tais-toi ! C'est de lui que tu as hérité cette absence totale de principes. Pas de religion, pas de morale, pas de sens du devoir... Oh ! comme je suis puni d'avoir fermé les yeux sur sa conduite. C'est à cause de toi que je l'ai fait, et c'est comme cela que tu me récompenses.

NORA. Oui, c'est comme cela.

HELMER. Tu as ruiné tout mon bonheur. Tu as anéanti toutes mes perspectives d'avenir. Oh ! c'est terrible de penser à cela. Je suis la proie d'un homme sans scrupules.
570 Il peut faire de moi ce qu'il veut, exiger de moi n'importe quoi, m'obliger à faire ses quatre volontés, sans que je puisse dire quoi que ce soit. Me voilà lamentablement réduit à sombrer dans le néant et à périr, à cause de la légèreté d'une femme.

NORA. Quand j'aurai quitté ce monde, tu seras libre.

HELMER. Oh ! ne parle pas pour ne rien dire. Ton père prenait facilement ce ton pathétique, lui aussi. A quoi cela me servirait-il que tu aies quitté ce monde, comme tu dis ? Cela ne me servirait absolument à rien. Il peut
580 ébruiter la chose de toute manière. Et dans ce cas-là, je

serai peut-être soupçonné d'avoir été au courant de ton acte criminel. On croira peut-être que c'est moi qui te l'ai inspiré... que c'est moi qui t'ai poussée à le commettre ! Et c'est toi qui es à l'origine de tout cela, toi pour qui j'ai eu tant d'égards depuis le début de notre mariage. Comprends-tu maintenant ce que tu m'as fait ?

NORA, *avec calme et sang-froid.* Oui.

HELMER. C'est tellement incroyable que je n'arrive pas à me faire à cette pensée. Mais il faut que nous trouvions 590 une solution. Retire ton châle. Retire-le, te dis-je ! Il faut que je lui donne satisfaction d'une manière ou d'une autre. Il faut à tout prix étouffer l'affaire... Quant à nous deux, il faut donner l'impression que rien n'est changé entre nous. Mais ce ne sera bien sûr qu'une façade. Tu restes donc ici à la maison, cela va de soi. Mais je ne te permets pas de t'occuper de l'éducation des enfants. Je n'ose pas te les confier... Oh ! devoir dire cela à celle que j'ai tant aimée, et pour qui j'éprouve encore... ! Allons, il faut que ce soit une affaire classée. A partir d'aujourd'hui, 600 il n'est plus question de bonheur. Il ne s'agit plus que de sauver les restes, les résidus, les apparences...

On sonne à la porte d'entrée.

HELMER, *il sursaute.* Qu'est-ce que c'est ? Si tard ! Serait-ce le comble de l'horreur... ! Aurait-il l'intention... ! Cache-toi, Nora ! Dis que tu es malade.

Nora reste debout, immobile. Helmer va ouvrir la porte du vestibule.

LA BONNE, *dans le vestibule ; elle n'a pas eu le temps de s'habiller complètement.* Une lettre vient d'arriver, elle est pour Madame.

HELMER. Donnez-la-moi. *(Il s'empare de la lettre et ferme la porte.)* Oui, elle vient bien de lui. Tu ne l'auras pas. 610 Je veux la lire moi-même.

NORA. Lis-la donc.

HELMER, *près de la lampe.* J'en ai à peine le courage. Nous
   sommes peut-être perdus, toi et moi. Non, il faut
   absolument que je le sache. *(Il ouvre la lettre à la hâte,
   parcourt quelques lignes, consulte un document qui a été
   joint à la lettre, et pousse un cri de joie :)* Nora !

NORA, *elle le regarde d'un air interrogateur.*

HELMER. Nora ! ... Non, je vais encore la relire. ... Si, si,
619 c'est bien cela. Je suis sauvé ! Nora, je suis sauvé !

NORA. Et moi ?

HELMER. Toi aussi, bien sûr. Nous sommes sauvés l'un et
   l'autre. Regarde. Il te renvoie ta reconnaissance de dette.
   Il écrit qu'il se repent, qu'il regrette... qu'un heureux
   événement est venu bouleverser sa vie... oh ! peu importe
   ce qu'il a pu écrire. Nous sommes sauvés, Nora ! Personne ne peut plus s'en prendre à toi. Oh ! Nora, Nora...
   Non, il faut tout d'abord détruire cet abominable document. Voyons... *(Il jette un coup d'œil sur le papier.)* Non,
   je ne veux pas regarder. Tout cela ne doit plus être qu'un
630 rêve pour moi. *(Il déchire la pièce à conviction et les
   deux lettres, jette les morceaux dans le poêle, et regarde
   le tout se consumer.)* Voilà, il ne reste plus rien maintenant... Il écrivait que depuis le soir du réveillon, tu...
   Oh ! ces trois jours ont dû être terribles pour toi, Nora.

NORA. J'ai mené un dur combat pendant ces trois jours.

HELMER. Tu as été au désespoir, et tu n'as pas entrevu
   d'autre issue que... Non, ne pensons plus à toutes ces
   choses laides. Laissons libre cours à notre joie et répétons
   sans cesse : C'est fini ! C'est fini ! Mais que se passe-t-il ?
640 Pourquoi cet air figé ? Oh ! ma pauvre petite Nora, je
   crois comprendre : tu n'arrives pas à te persuader que je
   t'ai pardonné. Je sais bien que ce que tu as fait, tu l'as
   fait par amour pour moi.

NORA. C'est vrai.

HELMER. Tu m'as aimé comme une femme doit aimer son
mari. Tu as simplement employé des moyens que tu
n'étais pas en mesure de juger. Mais crois-tu que je sois
moins attaché à toi parce que tu ne sais pas prendre des
décisions toute seule ? Non, non. Tu n'as qu'à t'appuyer
650 sur moi. Je te conseillerai, je te donnerai des directives.
Je ne serais pas un homme si cette incapacité bien
féminine ne te rendait pas doublement attirante à mes
yeux. Ne t'arrête pas aux paroles dures que j'ai dites
sous le coup de l'épouvante, quand j'avais l'impression
que tout allait s'écrouler sur ma tête. Je t'ai pardonné,
Nora. Je te jure que je t'ai pardonné.

NORA. Je te remercie de ton pardon.

Elle sort par la porte de droite.

HELMER. Non, reste... *(Il regarde dans la chambre.)* Que
veux-tu faire dans l'alcôve ?

NORA, *de l'intérieur.* Me débarrasser de ce costume de
661 mascarade.

HELMER, *près de la porte restée ouverte.* Oui, fais donc.
Remets-toi et retrouve ton équilibre, mon petit oiseau
chanteur effarouché. Détends-toi bien, et sens-toi en
sécurité. J'ai de larges ailes pour te protéger. *(Il fait les
cent pas devant la porte.)* Oh ! comme notre intérieur est
agréable et plaisant, Nora. Ici, tu es à l'abri. Je t'entou-
rerai de soins comme une colombe qui aurait été pour-
suivie par un épervier et que j'aurais pu arracher saine
670 et sauve à ses griffes. J'arriverai bien à tranquilliser ton
pauvre cœur qui bat si fort. Nous y parviendrons petit à
petit, Nora. Crois-moi. Demain, tu verras les choses tout
à fait autrement, et bientôt, tout sera de nouveau comme
avant. Je n'aurai pas besoin de te répéter pendant
longtemps que je t'ai pardonné. Tu en seras toi-même
pleinement convaincue. Comment peux-tu imaginer qu'il

puisse me venir à l'idée de te repousser ou simplement
de te faire des reproches ? Oh ! tu ne sais pas de quels
sentiments les hommes sont animés, Nora. Pour un
680 homme, la pensée qu'il a pardonné à sa femme — qu'il
lui a pardonné sincèrement et de tout son cœur —, est
une source de douceur et de satisfaction infinies. Elle
devient par là doublement sa propriété. C'est comme s'il
la mettait au monde une seconde fois. Elle est pour ainsi
dire sa femme autant que son enfant. Voilà ce que tu
dois être pour moi à partir d'aujourd'hui, pauvre petit
être désemparé et dépassé par les événements. N'aie
aucune crainte, Nora. Dis-moi simplement franchement
ce qui te préoccupe, et je te tiendrai lieu de volonté et
690 de conscience. Que se passe-t-il ? Tu ne vas pas au lit ?
Tu as changé de vêtements ?

NORA, *elle a remis sa robe de tous les jours.* Oui, Torvald,
je viens de changer de vêtements.

HELMER. Mais pourquoi, à cette heure-ci ?...

NORA. Cette nuit, je ne dormirai pas.

HELMER. Mais, ma chère Nora...

NORA, *en regardant sa montre.* Il n'est pas encore si tard
que cela. Assieds-toi ici, Torvald. Nous avons à parler
699 de beaucoup de choses.

Elle prend place d'un côté de la table.

HELMER. Nora... que signifie tout cela ? Cet air figé...

NORA. Assieds-toi. Ce sera long. J'ai à m'entretenir de
beaucoup de choses avec toi.

HELMER, *en s'asseyant vis-à-vis d'elle.* Tu me fais peur,
Nora. Et je ne te comprends pas.

NORA. En effet, c'est bien cela : tu ne me comprends pas.
Et je ne t'ai jamais compris non plus... jusqu'à ce soir.

Non, ne m'interromps pas. Écoute simplement ce que je
708 te dis... Nous allons mettre les choses au point, Torvald.

HELMER. Que veux-tu dire par là ?

NORA, *après un instant de silence.* N'y a-t-il pas quelque
chose qui te frappe, quand tu nous vois assis comme
cela, l'un en face de l'autre ?

HELMER. Que veux-tu que ce soit ?

NORA. Cela fait huit ans que nous sommes mariés. Est-ce
que tu ne te rends pas compte que c'est la première fois
que nous parlons sérieusement ensemble, toi et moi, en
tant que mari et femme ?

HELMER. Sérieusement... mais qu'est-ce que cela veut
719 dire ?

NORA. Pendant dix ans... et même plus... dès le moment
où nous nous sommes rencontrés pour la première fois,
nous n'avons jamais échangé une seule parole sérieuse
concernant des sujets sérieux.

HELMER. Fallait-il que je passe mon temps à te tenir au
courant de soucis que, de toute façon, tu ne pouvais pas
m'aider à porter ?

NORA. Je ne parle pas de soucis. Je veux dire que nous
n'avons jamais pris le temps de chercher sérieusement
729 ensemble à approfondir une question.

HELMER. Mais voyons, ma chère Nora, est-ce que cela
aurait été des choses pour toi ?

NORA. Nous y voilà ! Tu ne m'as jamais comprise... On a
commis beaucoup d'injustice à mon égard, Torvald. Papa
d'abord et toi ensuite.

HELMER. Quoi ! Nous deux ? ... nous deux qui t'avons
aimée plus que quiconque ?

NORA, *en secouant la tête.* Vous ne m'avez jamais aimée.
Vous avez simplement trouvé que c'était amusant d'être
739 amoureux de moi.

HELMER. Mais Nora, que veut dire ce langage ?

NORA. C'est pourtant vrai, Torvald. Lorsque j'habitais à la maison, avec papa, il m'exposait toutes ses idées, et j'avais les mêmes idées que lui. Et si j'en avais d'autres, je les gardais pour moi, parce qu'il n'aurait pas aimé cela. Il m'appelait sa petite poupée, et il jouait avec moi comme je jouais avec mes poupées. Et puis je suis entrée dans ta maison...

HELMER. En voilà une expression pour parler de notre
749 mariage !

NORA, *imperturbable*. Je veux dire que j'ai quitté les mains de papa pour passer dans les tiennes. Tu as tout arrangé selon ton goût, et j'ai eu le même goût que toi, à moins que j'aie seulement fait semblant, je ne sais pas exactement... Je crois qu'il y avait des deux, tantôt l'un, tantôt l'autre. Quand je réfléchis maintenant à tout cela, je trouve que j'ai vécu ici comme une pauvresse... au jour le jour. Ma vie a consisté à minauder devant toi. Mais c'est bien ce que tu voulais. Toi et papa, vous portez une lourde responsabilité à mon égard. C'est votre faute s'il
760 n'est rien sorti de moi.

HELMER. Nora, comme tu es injuste et ingrate ! N'as-tu pas été heureuse ici ?

NORA. Non, je ne l'ai jamais été. Je croyais l'être, mais je ne l'ai jamais été.

HELMER. Comment, tu n'as pas été heureuse ?

NORA. Non, je n'ai été que gaie. Et tu as toujours été très gentil avec moi. Mais notre foyer n'a pas été autre chose qu'une salle de jeux. Ici, chez toi, j'ai été femme-poupée, comme j'étais la petite poupée de papa, quand j'habitais
770 chez lui. Et les enfants, à leur tour, ont été des poupées pour moi. Je trouvais cela amusant quand tu me prenais et que tu jouais avec moi, de même qu'ils trouvaient

cela amusant quand je les prenais et que je jouais avec
eux. Voilà ce qu'a été notre mariage, Torvald.

HELMER. Il y a du vrai dans ce que tu dis... malgré toute
l'exagération et l'exaltation qui s'y mêlent. Mais à l'avenir, il faut que cela change. Le temps du jeu est fini, c'est
778 l'éducation qui commence.

NORA. L'éducation de qui ? La mienne ou celle des enfants ?

HELMER. La tienne autant que la leur, ma chère Nora.

NORA. Hélas ! Torvald, tu n'es pas homme à m'éduquer
pour faire de moi l'épouse qu'il te faut.

HELMER. Et c'est toi qui dis cela ?

NORA. Quant à moi... comment suis-je préparée à éduquer
les enfants ?

HELMER. Nora !

NORA. N'est-ce pas cela que tu disais toi-même tout à
788 l'heure ? ... tu n'osais pas me confier cette tâche ?

HELMER. Sous le coup de la colère ! Comment peux-tu
t'arrêter à cela ?

NORA. Eh bien ! Tu as dit là quelque chose de tout à fait
juste. Je ne suis pas à la hauteur de cette tâche. Il y a
une autre tâche dont je dois d'abord m'acquitter. Il faut
que je fasse en sorte de m'éduquer moi-même. Tu n'es
pas homme à pouvoir m'aider dans ce domaine. C'est
une affaire qui ne regarde que moi. Et c'est pour cela que
je te quitte maintenant.

HELMER, *se levant d'un bond.* Qu'est-ce que tu viens de
799 dire ?

NORA. J'ai besoin d'être tout à fait seule si je veux y voir
clair en moi-même et dans tout ce qui se passe à
l'extérieur. C'est pourquoi je ne peux pas rester chez toi
plus longtemps.

HELMER. Nora, Nora !

NORA. Je veux m'en aller immédiatement. Christine acceptera sans doute que je passe la nuit chez elle...

HELMER. Tu es folle ! Je ne te le permets pas ! Je te l'interdis !

NORA. Il est inutile de m'interdire quoi que ce soit à 810 l'avenir. J'emporte tout ce qui m'appartient. Je ne veux rien avoir de toi, ni maintenant, ni plus tard.

HELMER. C'est de la folie pure !

NORA. Demain, je retournerai à la maison... c'est-à-dire dans mon pays d'origine. C'est là que je trouverai le plus facilement un moyen de subvenir à mes besoins.

HELMER. Oh ! pauvre créature aveugle et inexpérimentée !

NORA. L'expérience, il me faut l'acquérir, Torvald.

HELMER. Quitter ton foyer, ton mari et tes enfants ! Et tu 819 ne penses pas à ce que les gens vont dire.

NORA. Je ne peux pas en tenir compte. Je sais uniquement que c'est nécessaire pour moi.

HELMER. Oh ! c'est révoltant ! Tu peux donc manquer à tes devoirs les plus sacrés.

NORA. Que considères-tu comme mes devoirs les plus sacrés ?

HELMER. Ai-je besoin de te le dire ? Est-ce que ce ne sont 827 pas tes devoirs envers ton mari et tes enfants ?

NORA. J'ai d'autres devoirs tout aussi sacrés.

HELMER. Mais non ! De quels devoirs pourrait-il s'agir ?

NORA. Mes devoirs envers moi-même.

HELMER. Tu es avant tout épouse et mère.

NORA. Je ne crois plus à cela. Je crois que je suis avant tout un être humain, au même titre que toi... ou que je dois en tout cas essayer de le devenir. Je sais bien que la plupart des gens sont d'accord avec toi, Torvald, qu'on trouve ce genre de choses dans les livres. Mais je ne peux plus me contenter de ce que disent la plupart des gens et de ce qui est écrit dans les livres. Je dois réfléchir à ces choses-là par moi-même, pour essayer d'y voir 840 clair.

HELMER. Tu n'y vois pas clair quant à ta position dans ton propre foyer ? N'as-tu pas un guide infaillible pour ces questions ? N'as-tu pas la religion ?

NORA. Hélas ! Torvald, je ne sais pas au juste ce que c'est que la religion.

HELMER. Que dis-tu là ?

NORA. Je sais uniquement ce que le pasteur Hansen nous a dit au catéchisme quand il nous préparait à la confirmation. Il nous a expliqué que la religion, c'était telle et 850 telle chose. Lorsque j'aurai coupé tous les ponts et que je me retrouverai seule avec moi-même, j'examinerai aussi cette question. Je veux savoir si ce que disait le pasteur Hansen est juste, ou, du moins, si c'est juste pour moi.

HELMER. Oh ! c'est inouï d'entendre une aussi jeune femme dire des choses pareilles ! Mais si tu n'acceptes pas de prendre la religion pour guide, permets-moi au moins de m'adresser à ta conscience. Je suppose que tu as tout de même un sens moral ? A moins que tu n'en aies pas ? 860 Réponds-moi !

NORA. Tu sais, Torvald, il m'est difficile de répondre. Je n'en sais rien. Ces questions me laissent tout à fait perplexe. Je sais simplement que j'ai là-dessus des idées complètement différentes des tiennes. Je viens d'apprendre que les lois ne sont pas ce que je croyais. Mais je n'arrive pas à me persuader que ces lois-là puissent être justes. Une femme n'aurait donc pas le droit de ménager son vieux père mourant, ni de sauver la vie à 869 son mari ! Je ne crois pas à ce genre de choses.

HELMER. Tu parles comme une enfant. Tu ne comprends pas la société dans laquelle tu vis.

NORA. Non, c'est bien vrai. Mais maintenant, je veux examiner tout cela. Il faut que je sache qui de nous deux a raison : la société ou moi.

HELMER. Tu es malade, Nora. Tu as la fièvre. Je crois presque que tu n'as plus tout ton bon sens.

NORA. Je ne me suis jamais sentie aussi lucide et aussi sûre de moi que cette nuit.

HELMER. Et c'est avec lucidité et assurance que tu quittes 880 ton mari et tes enfants ?

NORA. Oui, tu l'as dit.

HELMER. Eh bien, je ne vois qu'une explication à cela.

NORA. Laquelle ?

HELMER. Tu ne m'aimes plus.

NORA. Non, justement.

HELMER. Nora !... Les bras m'en tombent !

NORA. Oh ! cela me fait beaucoup de peine, Torvald, parce que tu as toujours été très gentil avec moi. Mais je n'y 889 peux rien. Je ne t'aime plus.

HELMER, *en s'efforçant de garder contenance.* Es-tu aussi lucide et sûre de toi quand tu dis cela ?

NORA. Oui, je suis parfaitement lucide et sûre de moi. C'est pour cela que je ne veux plus rester ici.

HELMER. Et pourrais-tu m'expliquer comment j'ai perdu ton amour ?

NORA. Oui, c'est facile. Cela date de ce soir. Quand le prodige ne s'est pas accompli, j'ai vu que tu n'étais pas
898 l'homme que je croyais.

HELMER. Explique-toi mieux. Je ne comprends pas.

NORA. Cela fait maintenant huit ans que j'attends patiemment. Mon Dieu, je savais bien que les prodiges ne s'accomplissent pas tous les jours. Et c'est alors que tout cela s'est abattu sur moi. Je ne doutais pas un seul instant que le prodige allait s'accomplir. Pendant que la lettre de Krogstad attendait dans la boîte... jamais je n'aurais imaginé que tu pourrais accepter les conditions fixées par cet individu. Je ne doutais pas un seul instant que tu lui dirais : Allez-y, mettez tout le monde au
909 courant. Et une fois qu'il l'aurait fait...

HELMER. Et après, que se serait-il passé ? Une fois que je t'aurais livrée à la honte et à l'opprobre !...

NORA. Une fois qu'il l'aurait fait, je ne doutais pas un seul instant que tu braverais l'opinion publique, que tu prendrais tout sur toi et que tu dirais : c'est moi le coupable.

HELMER. Nora !

NORA. Crois-tu que j'aurais jamais accepté un tel sacrifice de ta part ? Non, cela va de soi. Mais quel poids mes affirmations auraient-elles eu par rapport aux tiennes ?...
920 Voilà le prodige que j'espérais voir s'accomplir et dont la perspective m'épouvantait. Et c'est pour empêcher cela que je voulais mettre fin à mes jours.

HELMER. Je suis tout prêt à travailler nuit et jour pour toi, Nora... à m'imposer des privations et des sacrifices à cause de toi. Mais il n'y a personne qui sacrifie son honneur pour l'être qu'il aime.

NORA. C'est pourtant ce que des centaines de milliers de femmes ont fait.

HELMER. Oh ! tu penses et tu parles comme une enfant
930 sans intelligence.

NORA. Peut-être. Mais toi, tu ne penses ni ne parles comme
l'homme auquel je pourrais m'attacher. Lorsque ta frayeur
a passé... ce n'est pas la menace qui pesait sur moi qui
te faisait peur, mais les conséquences qui en découlaient
pour toi... tout danger étant désormais écarté, tu as fait
comme si de rien n'était. J'étais ta petite alouette exactement comme avant, ta poupée, pour laquelle tu voulais
redoubler d'attention, puisqu'elle était si fragile et si
vulnérable. *(Elle se lève.)* Torvald... j'ai compris à ce
940 moment-là que j'avais vécu pendant huit ans avec un
étranger, et que j'avais eu trois enfants... Oh, cette pensée
m'est insupportable ! j'aurais envie de me déchirer moi-
même en mille morceaux.

HELMER, *l'air accablé.* Je le vois bien, je le vois bien. Un
abîme s'est creusé entre nous. Mais dis-moi, Nora, n'y
a-t-il pas moyen de le combler ?

NORA. Telle que je suis actuellement, je ne suis pas une
948 épouse pour toi.

HELMER. J'ai la force de changer.

NORA. Peut-être... si l'on t'enlève ta poupée.

HELMER. Me séparer.... me séparer de toi ! Non, non,
Nora, je ne peux me faire à cette idée.

NORA, *elle entre dans la pièce de droite.* Raison de plus
pour passer aux actes.

 *Elle revient avec son manteau et un petit sac de voyage
qu'elle pose sur la chaise près de la table.*

HELMER. Nora, Nora, pas maintenant ! Attends à demain.

NORA, *elle enfile son manteau.* Je ne peux pas passer la
nuit dans l'appartement d'un étranger.

HELMER. Mais est-ce que nous ne pouvons pas habiter ici
959 comme frère et sœur...

NORA, *en attachant son chapeau.* Tu sais très bien que cela
ne pourrait pas durer longtemps... *(Elle s'entoure de son
châle.)* Adieu, Torvald. Je ne veux pas voir les enfants.
Je sais qu'ils sont entre de meilleures mains que les
miennes. Telle que je suis maintenant, je ne peux rien
faire pour eux.

HELMER. Mais plus tard, Nora... plus tard... ?

NORA. Comment pourrais-je le savoir, quand je ne sais
même pas ce que je vais devenir ?

HELMER. Mais tu es ma femme, telle que tu es actuelle-
970 ment, et telle que tu seras à l'avenir.

NORA. Écoute, Torvald... quand une femme quitte le
domicile conjugal, comme je le fais maintenant, j'ai
entendu que la loi dégage le mari de toutes les obligations
qu'il avait envers elle. En tout cas, je te dégage de toute
obligation. Tu ne dois te sentir lié par rien, pas plus que
moi, d'ailleurs. Il faut qu'il y ait une pleine liberté d'un
côté comme de l'autre. Voilà ton alliance, je te la rends.
978 Donne-moi la mienne.

HELMER. Cela aussi ?

NORA. Cela aussi.

HELMER. La voici.

NORA. Bon. Maintenant, c'est fini. Je pose les clefs ici. Les
deux bonnes sont au courant de tout dans la maison...
elles connaissent tout cela mieux que moi. Demain,
quand je serai partie, Christine viendra chercher les
affaires qui m'appartiennent, tout ce qui vient de chez
moi. Je veux qu'on me les expédie.

HELMER. Fini, fini ! Nora, tu ne penseras plus jamais à
989 moi ?

NORA. Je penserai certainement souvent à toi, aux enfants et à cette maison.

HELMER. Est-ce que je pourrai t'écrire, Nora ?

NORA. Non ! Jamais. Je te l'interdis.

HELMER. Oh ! mais je pourrai tout de même t'envoyer...

NORA. Rien, rien.

HELMER. ... t'aider si tu en avais besoin.

NORA. Non, te dis-je. Je n'accepte rien des étrangers.

HELMER. Nora... ne serai-je plus jamais qu'un étranger
999 pour toi ?

NORA, *en prenant son sac de voyage.* Ah ! Torvald, il faudrait pour cela que le prodige des prodiges s'accomplisse...

HELMER. Dis-moi en quoi consiste ce prodige des prodiges !

NORA. Pour cela, il faudrait que toi et moi nous puissions nous transformer à un tel point que... Torvald, je ne crois plus aux prodiges.

HELMER. Mais moi je veux y croire. Continue ! Nous
1009 transformer à un tel point que...

NORA. Que notre vie en commun puisse devenir un mariage. Adieu.

Elle sort par le vestibule.

HELMER, *il s'effondre sur une chaise près de la porte et se couvre le visage de ses mains.* Nora ! Nora ! *(Il regarde autour de lui et se lève.)* Tout est vide. Elle n'est plus là. *(Un espoir naît en lui.)* Le prodige des prodiges ?!...

On entend la porte d'entrée du bas de l'immeuble se refermer bruyamment.

Table

UNE MAISON DE POUPÉE

IMPRIMÉ EN FRANCE PAR BRODARD ET TAUPIN
Usine de la Flèche (Sarthe).
LIBRAIRIE GÉNÉRALE FRANÇAISE - 43, quai de Grenelle, 75015 Paris.
ISBN : 2 -253 - 05255 - 8